第 1 章
Photoshop AI 基础知识

1

Photoshop 是一款功能强大的图像处理软件，修图与设计是它的主要功能，随着 Adobe Photoshop 2024 的推出，集成了更多的 AI 功能。本章将介绍 Photoshop AI 的入门知识、工作界面以及一些基本操作，为后面的绘画与修图操作奠定良好的基础。

本章重点

- 初识 Photoshop AI
- 了解 Photoshop 2024 的工作界面
- 掌握图像文件的基本操作
- 掌握如何调整图像尺寸和画布大小
- 掌握如何裁剪和变换图像画面

1.1 Photoshop AI 入门

在学习 Photoshop AI 之前，首先来了解其基本知识，包括什么是 Photoshop AI、AI（artificial intelligence，人工智能）对 Photoshop 的影响以及 Photoshop AI 的应用场景等，帮助读者更好地了解 Photoshop AI，为后面的学习奠定良好的基础。

1.1.1 Photoshop AI 基本概念

Photoshop AI 是指在 Photoshop 中嵌入了人工智能技术，如创成式填充、移除工具以及 Neural Filters 滤镜等，利用这些人工智能技术来创造和设计艺术作品的过程，它涵盖了各种技术和方法，包括计算机视觉、深度学习、生成对抗网络（generative adversarial network，GAN）等。通过这些技术，Photoshop 可以学习艺术风格，并使用这些知识来创造全新的艺术作品。

Photoshop AI 绘画技术其实就是通过在原有图像上绘制新的图像，生成更多有趣的图像内容，同时还可以进行智能化的修图处理，通过去除不需要的元素、添加虚构元素，以及提高整体画面的美感，呈现了一种更加独特、富有创意和艺术性的图像效果。图 1-1 为使用 Photoshop AI 创成式填充功能更换人物服装的效果，提示词为“紫色的裙子”。

（a） （b）

图 1-1 使用 Photoshop AI 创成式填充功能更换人物服装的效果

▶ 专家指点

Photoshop AI 绘画是利用人工智能技术进行图像生成的一种数字艺术形式，使用计算机生成的算法和模型来模拟人类艺术家的创作行为，自动化地生成各种类型的数字绘画作品，包括肖像画、风景画、抽象画等。Photoshop AI 绘画具有快速、高效、自动化等特点，它的技术特点主要在于能够利用人工智能技术和算法对图像进行处理和创作，实现艺术风格的融合和变换，提升用户的绘画创作体验。

1.1.2　AI 对 Photoshop 的影响

在 Photoshop 图像处理的历史演进中，经历了“调照片”“修照片”等阶段，如今受人工智能技术的影响，图像处理进入到了一个“想照片”的新阶段。例如，可以想象一个场景，如“海边风光”，利用 Photoshop AI 创成式填充功能，即可将它变成一张照片，如图 1-2 所示。

图 1-2　根据想象的场景生成照片

在这个阶段中，人工智能技术可以自主识别拍摄场景并通过自动化调整来生成照片。同时，在后期制作中，AI 可以智能地分析和处理图像，进一步提升照片的表现力。通过智能识别技术，图像处理可以变得更加多样化。因此，可以说在人工智能技术的持续影响下，“想照片”的 AI 模式成为了一种新的艺术潮流。

> ▶ 专家指点
>
> Photoshop AI 绘画是利用人工智能技术进行图像生成的一种数字艺术形式，使用计算机生成的算法和模型来模拟人类艺术家的创作行为，自动化地生成各种类型的数字绘画作品，包括肖像画、风景画、抽象画等。Photoshop AI 绘画具有快速、高效、自动化等特点，它的技术特点主要在于能够利用人工智能技术和算法对图像进行处理和创作，实现艺术风格的融合和变换，提升用户的绘画创作体验。

1.1.3　Photoshop AI 的应用场景

Photoshop AI 技术得到了越来越多的关注和研究，同时广泛应用到许多领域，如摄影、电商、广告、电影、游戏、教育等。在这些领域，Photoshop AI 的应用可以大大提高生产效率和艺术创作的质量。总之，Photoshop AI 将会对许多行业和领域产生重大影响。

AI 绘画技术可以用于生成虚拟的产品样品，从而在产品设计阶段帮助设计师更好地进行设计和展示，并得到反馈和修改意见。例如，使用 Photoshop AI 可以生成电商产品主图或产品细节图，如图 1-3 所示，提示词为“血珀色红玛瑙手链细节图”。

图 1-3　生成电商产品细节图

1.2　Photoshop 2024 的工作界面

Photoshop 2024 的工作界面如图 1-4 所示，工作界面主要由菜单栏、工具箱、图像编辑窗口、浮动工具栏、状态栏、工具属性栏和浮动面板 7 个部分组成。

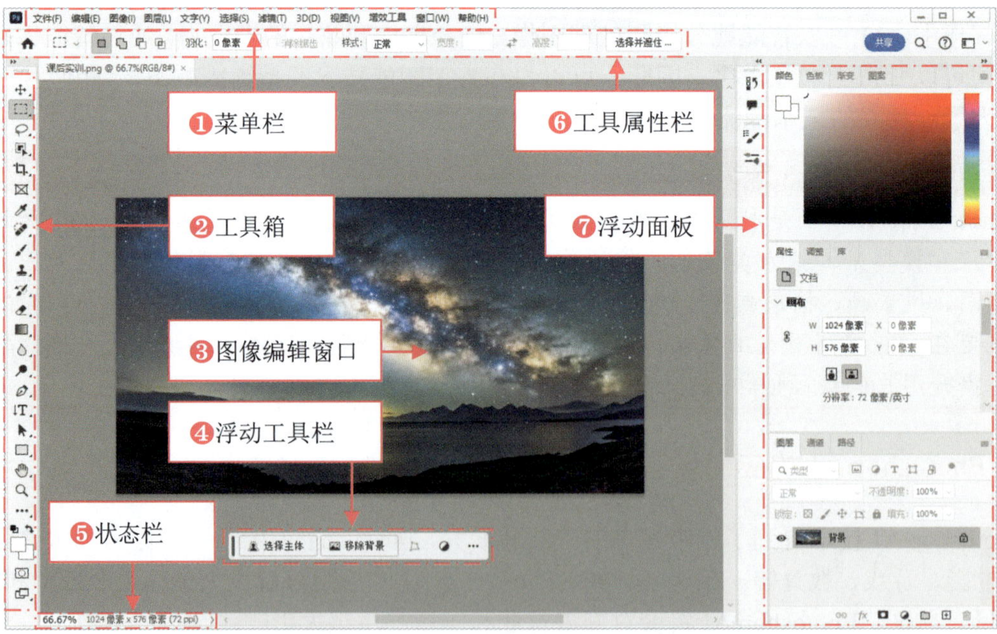

图 1-4　Photoshop 2024 的工作界面

下面简单地对 Photoshop 2024 工作界面的各组成部分进行介绍。

❶ **菜单栏：**包含可以执行的各种命令，单击菜单名称，即可打开相应的菜单。

❷ **工具箱**：包含用于执行各种操作的工具，如移动工具、套索工具、选框工具等。

❸ **图像编辑窗口**：用来显示图像的窗口，是绘画与修图的操作区域。

❹ **浮动工具栏**：显示了 Photoshop 的常用工具和接下来需要进行的操作，包括新增的“创成式填充”功能也在此工具栏中。

❺ **状态栏**：用来显示打开文档的大小、尺寸和窗口缩放比例等信息。

❻ **工具属性栏**：用来设置工具的各种选项，它会随着所选工具的不同而变换内容。

❼ **浮动面板**：用来帮助用户编辑图像，如设置图层、样式、颜色等属性。

1.2.1　菜单栏

菜单栏位于整个窗口的顶端，由“文件”“编辑”“图像”“图层”“文字”“选择”“滤镜”“3D”“视图”“增效工具”“窗口”和“帮助”12 个菜单命令从左到右的顺序组成，如图 1-5 所示。单击任意一个菜单项，都会弹出其包含的命令，Photoshop 中的绝大部分功能都可以利用菜单栏中的命令来实现。菜单栏的右侧还显示了控制文件窗口显示大小的最小化、最大化（还原窗口）、关闭窗口等几个快捷按钮。

图 1-5　菜单栏

下面对 Photoshop 菜单栏中的各菜单进行相关介绍。

❶ **文件**：执行“文件”命令，在弹出的下级菜单中可以执行新建、打开、存储、关闭、导出以及打印等一系列针对文件的命令。

❷ **编辑**：“编辑”菜单是对图像进行编辑的命令，包括还原、剪切、拷贝、粘贴、填充、变换以及定义图案等命令。

❸ **图像**：“图像”菜单命令主要是针对图像模式、颜色、大小等进行调整和设置。

❹ **图层**：“图层”菜单中的命令主要是针对图层进行相应的操作，这些命令便于对图层进行运用和管理，如新建图层、复制图层、图层蒙版、合并图层等。

❺ **文字**：“文字”菜单主要用于对文字对象进行创建和设置，包括创建 3D 文字、创建工作路径、文字变形以及匹配字体等。

❻ **选择**：“选择”菜单中的命令主要是针对选区进行操作，可以对选区进行反选、修改、变换、扩大、载入选区等操作，这些命令结合选区工具，更便于对选区操作。

❼ **滤镜**：“滤镜”菜单中的命令可以为图像设置各种不同的特效，在制作图像特效方面更是功不可没。

❽ **3D**：3D 菜单中的命令主要用来编辑 3D 图层与图像，包括新建 3D 图层、合并 3D 图层、导出 3D 图层、渲染 3D 图层等。

❾ **视图**：“视图”菜单中的命令可对整个视图进行调整及设置，包括缩放视图、改变屏幕模式、显示标尺、设置参考线等。

❿ **增效工具**：“增效”菜单中的命令主要用来管理 Photoshop 中的插件，这些插件可以为图像增效。

⓫ **窗口**：“窗口”菜单主要用于控制 Photoshop 中的工作界面、工作区、工具箱以及各个面板的显示和隐藏。

⑫ **帮助**：“帮助”菜单中提供了使用 Photoshop 的各种帮助信息。在使用 Photoshop 2024 的过程中，若遇到问题，可以查看该菜单，及时了解各种命令、工具和功能的使用。

如果菜单中的命令呈现灰色，则表示该命令在当前编辑状态下不可用，如图 1-6 所示；如果菜单命令右侧有一个三角形符号，则表示此菜单包含有子菜单，将鼠标指针移动到该菜单上，即可打开其子菜单，如图 1-7 所示；如果菜单命令右侧有省略号“…”，则执行此菜单命令时将会弹出与之有关的对话框。

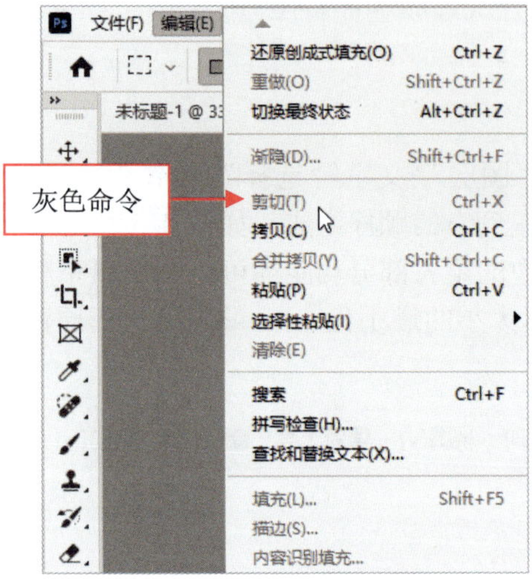

图 1-6　灰色命令不可用

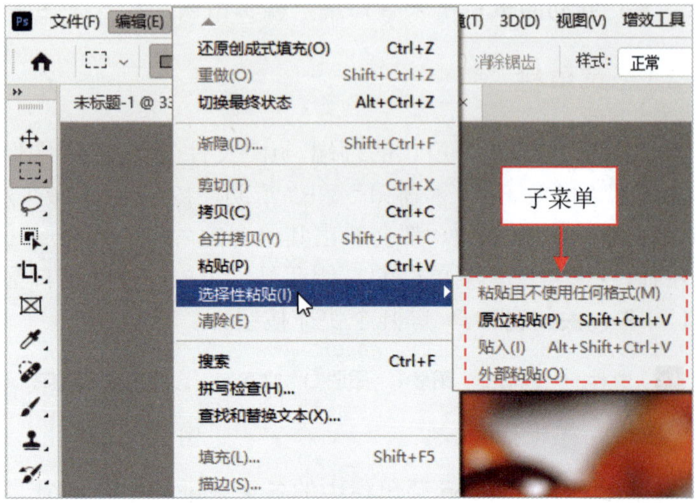

图 1-7　三角形符号包含有子菜单

> **▶ 专家指点**
>
> 有些菜单命令的右侧显示了快捷键或组合快捷键，用户可以使用组合快捷键来快速使用该命令。

1.2.2　工具属性栏

工具属性栏位于菜单栏的下方，主要用于对所选取工具的属性进行设置，它提供了控制工具属性的相关选项，其显示的内容会根据所选工具的不同而改变。图 1-8 为选取矩形选框工具后的工具属性栏样式。

图 1-8　矩形选框工具的工具属性栏

1.2.3　工具箱

工具箱位于工作界面的左侧，如图 1-9 所示，单击左上角的按钮，可以对工具箱进行展开与折叠操作。要使用工具箱中的工具，只要单击工具按钮，即可在图像编辑窗口中使用。

若在工具按钮的右下角显示一个小三角形，则表示该工具按钮中还包含了其他工具，在工具按钮上按住鼠标左键的同时，可弹出所隐藏的工具选项，如图 1-10 所示。

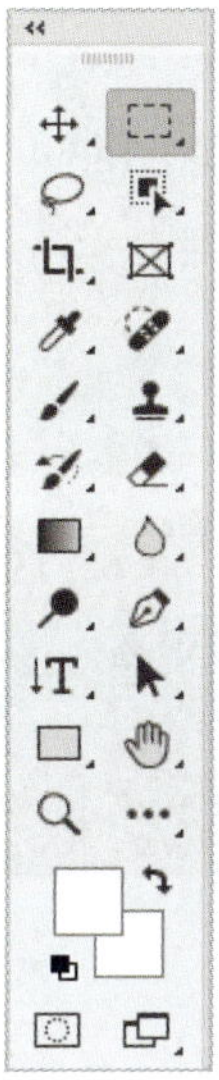

图 1-9　工具箱

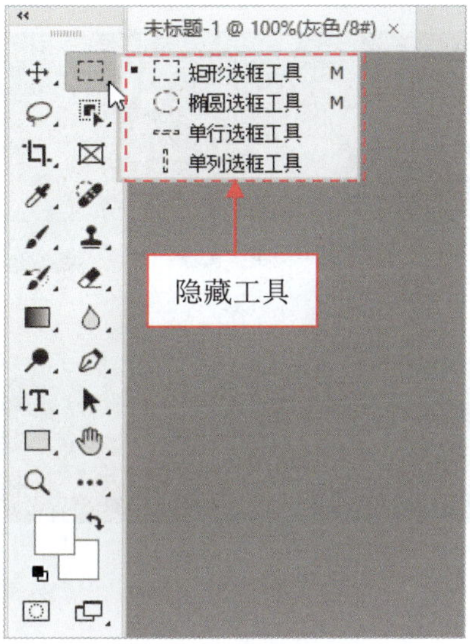

图 1-10　显示隐藏工具

1.2.4　状态栏

状态栏位于图像编辑窗口的底部，主要用于显示当前所编辑图像的各种参数信息，状态栏主要由显示比例、文件信息和提示信息等部分组成。单击状态栏右侧的小三角形按钮，即可弹出列表框，其中显示了当前图像文件的相关信息，如文档大小、文档配置文件、文档尺寸、暂存盘大小以及当前工具等，如图 1-11 所示，选择相应的选项，状态栏中即可显示相应的文档信息内容。

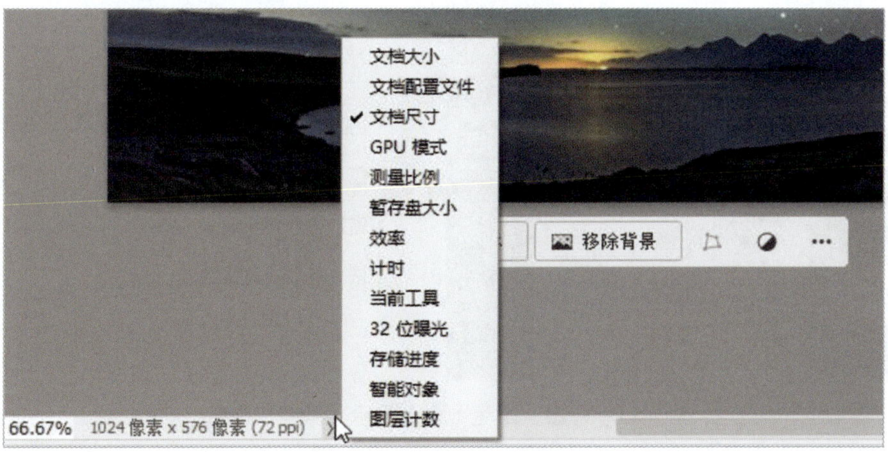

图 1-11　状态栏中的列表框

1.2.5　图像编辑窗口

Photoshop 中的所有功能都可以在图像编辑窗口中实现。打开文件后，图像标题栏呈灰白色时，即为当前图像编辑窗口，如图 1-12 所示，此时所有操作将只针对该图像编辑窗口，若想对其他图像编辑窗口进行编辑，使用鼠标单击需要编辑的图像窗口即可。

图 1-12　当前图像编辑窗口

1.2.6　浮动面板

浮动面板位于工作界面的右侧，它主要用于对当前图像的图层、颜色、样式以及相关的操作进行设置。单击菜单栏中的“窗口”菜单，在弹出的菜单列表中单击相应的命令，即可显示相应的浮动面板，如图 1-13 所示。

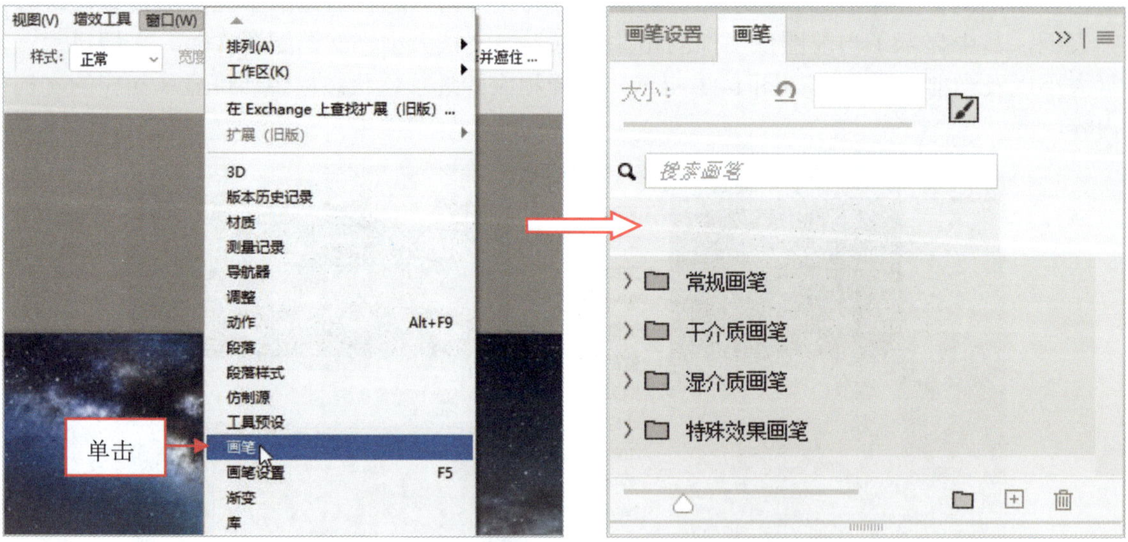

图 1-13　单击“画笔”命令显示“画笔”面板

1.2.7　浮动工具栏

Photoshop 中的浮动工具栏主要用来对图像进行“创成式填充”操作，该功能非常强大，可以进行 AI 绘画与修图操作，让这一代 Photoshop 成为了创作者和设计师不可或缺的工具。当用户在图像编辑窗口中创建选区后，浮动工具栏如图 1-14 所示，在其中单击“创成式填充”按钮，即可进行 AI 绘画与修图操作。

图 1-14　浮动工具栏

1.3　图像文件的基本操作

Photoshop 作为一款图像处理软件，绘画与修图处理是它的看家本领。在使用 Photoshop 开始创作之前，需要先了解此软件的一些常用操作，如新建文件、打开文件、保存文件和关闭文件等。熟练掌握这些基本操作，才能更好、更快地设计作品。

1.3.1　新建图像文件

新建图像文件

在 Photoshop 中，用户若想要创作一个全新的图像，首先需要新建一个空白文件，然后才可以继续进行下一步操作。下面介绍新建图像文件的操作方法。

Step 01　在菜单栏中，单击“文件”|“新建”命令，如图 1-15 所示。

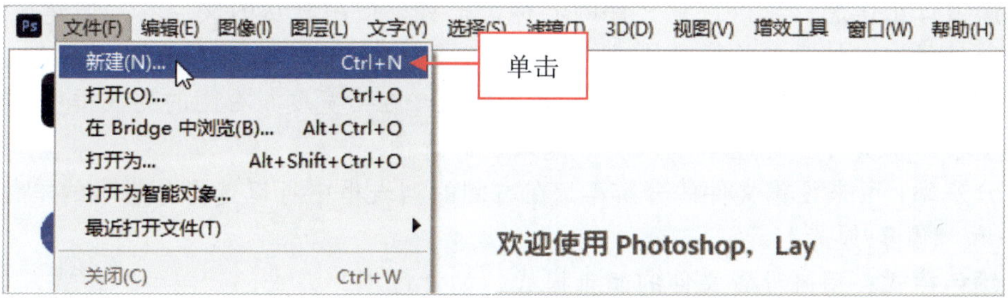

图 1-15　单击“新建”命令

Step 02　弹出“新建文档”对话框，选择“默认 Photoshop 大小”选项，如图 1-16 所示。

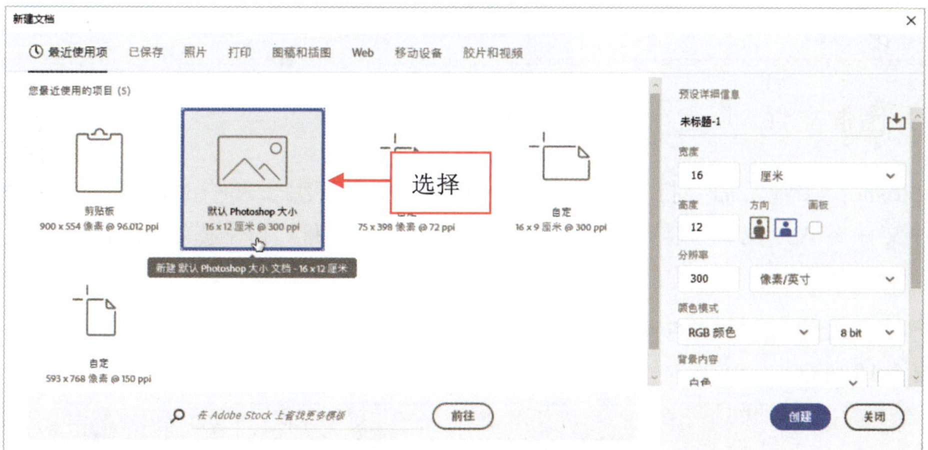

图 1-16　选择“默认 Photoshop 大小”选项

Step 03　单击“创建”按钮，即可新建一幅空白的图像文件，如图 1-17 所示。

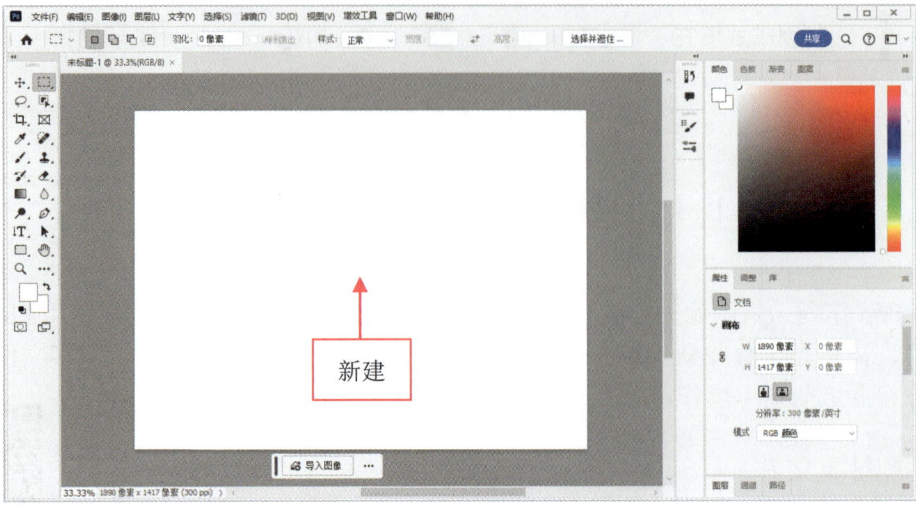

图 1-17　新建空白图像文件

> ▶ 专家指点
>
> 在“新建文档”对话框中，各主要选项含义如下。
>
> - **预设详细信息：** 可以设置文件的名称，也可以使用默认的文件名。创建文件后，文件名会自动显示在文档窗口的标题栏中。
> - **宽度/高度：** 用来设置文档的宽度和高度值，在“宽度”右侧的列表框中可以选择单位，如“像素”“英寸”“厘米”以及“毫米”等选项。
> - **分辨率：** 用来设置文件的分辨率，在右侧的列表框中可以选择分辨率的单位，如“像素/英寸”和“像素/厘米”。
> - **颜色模式：** 用来设置文件的颜色模式，如“位图”模式、“灰度”模式、“RGB 颜色”模式、“CMYK 颜色”模式等。
> - **背景内容：** 用来设置文件的背景内容，如“白色”“背景色”以及“透明”等。
> - **高级选项：** 展开该选项，可以显示出对话框中隐藏的内容，如“颜色配置文件”和“像素长宽比”等。

1.3.2　打开图像文件

打开图像文件

在 Photoshop 中经常需要打开一个或多个图像文件进行编辑和修改，它可以打开多种文件格式，也可以同时打开多个文件。下面介绍打开图像文件的操作方法。

Step 01 单击“文件”|“打开”命令，在弹出的“打开”对话框中，选择需要打开的素材图像，如图 1-18 所示。

> ▶ 专家指点
>
> 如果要打开一组连续的文件，可以在选择第一个文件后，按住【Shift】键的同时再选择最后一个要打开的文件；如果要打开一组不连续的文件，可以在选择第一个图像文件后，按住【Ctrl】键的同时，选择其他的图像文件，然后再单击“打开”按钮。

Step 02 单击“打开”按钮，即可打开选择的素材图像，如图 1-19 所示。

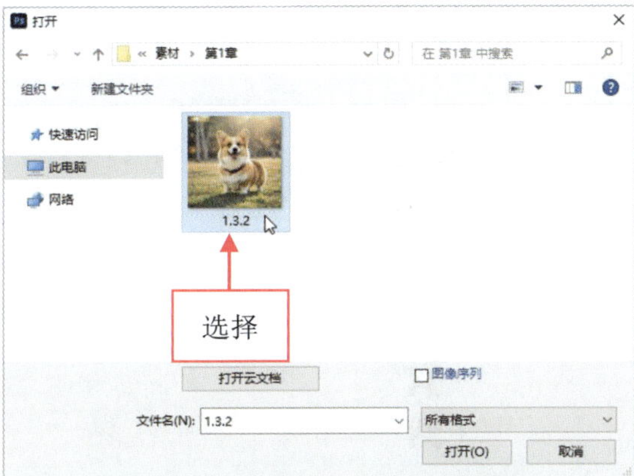

图 1-18 选择需要打开的图像文件

图 1-19 打开素材图像

1.3.3 保存与关闭图像文件

保存与关闭图像文件

如果需要将处理好的图像文件保存，只要单击“文件”|“存储为”命令，在弹出的“另存为”对话框中将文件保存即可。当新建或打开许多图像文件时，为了提高电脑的运行速度，就要将不需要使用的图像文件进行关闭操作。下面介绍保存与关闭图像文件的方法。

Step 01 单击“文件”|“打开”命令，打开一幅素材图像，如图 1-20 所示。

Step 02 新建一个图层，或者进行相关编辑操作，单击“文件”|“存储为”命令，弹出“存储为”对话框，❶设置文件名称与保存类型；❷单击“保存”按钮，如图 1-21 所示。

图 1-20 打开素材图像

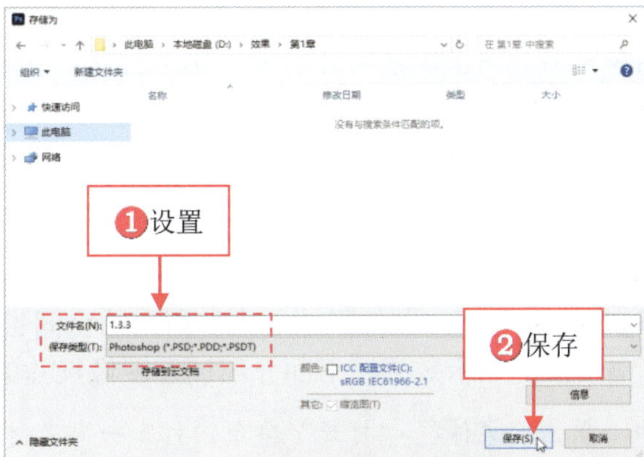

图 1-21 单击“保存”按钮

> ▶ 专家指点
>
> 除了运用上述方法可以保存图像文件外，还有以下两种常用的方法。
>
> - **快捷键 1：**按【Ctrl + S】组合键，保存图像文件。
> - **快捷键 2：**按【Shift + Ctrl + S】组合键，保存图像文件。

Step 03 执行操作后，即可保存图像文件，单击“文件”|“关闭”命令，如图 1-22 所示。

Step 04 执行操作后，即可关闭当前工作的图像文件，回到主界面，如图 1-23 所示。

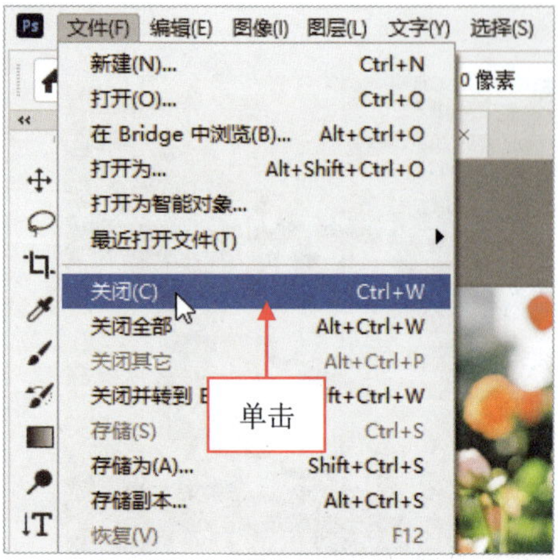

图 1-22　单击“关闭”命令

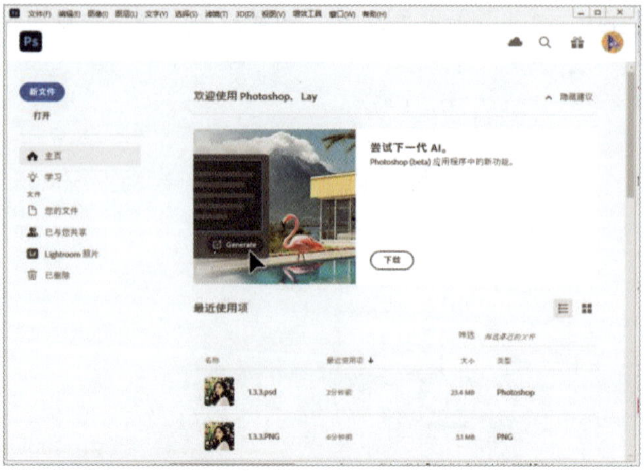

图 1-23　关闭文件并回到主界面

▶ 专家指点

除了运用上述方法可以关闭图像文件外，还有以下 4 种常用的方法。

- **快捷键 1**：按【Ctrl + W】组合键，关闭当前文件。
- **快捷键 2**：按【Alt + Ctrl + W】组合键，关闭所有文件。
- **快捷键 3**：按【Ctrl + Q】组合键，关闭当前文件并退出 Photoshop AI。
- **按钮**：单击图像文件标题栏右侧的“关闭”按钮×。

1.4　调整图像尺寸和画布大小

图像大小与图像像素、分辨率、实际打印尺寸之间有着密切的关系，它决定存储文件所需的硬盘空间大小和图像文件的清晰度。因此，调整图像的尺寸及画布大小也决定着整幅画面的大小。本节主要介绍调整图像尺寸和画布大小的操作方法。

1.4.1　调整图像尺寸

在 Photoshop 中，图像尺寸越大，所占的空间也越大。更改图像的尺寸，会直接影响图像的显示效果。下面介绍调整图像尺寸的操作方法。

调整图像尺寸

Step 01　单击“文件”|“打开”命令，打开一幅素材图像，如图 1-24 所示。

Step 02　单击“图像”|“图像大小”命令，如图 1-25 所示。

▶ 专家指点

在“图像大小”对话框中，相关操作含义如下。

- **像素大小**：通过改变“宽度”和“高度”数值，可以调整图像在屏幕上的显示大小，图像的尺寸也发生相应变化。
- **图像大小**：通过改变“宽度”“高度”和“分辨率”数值，可以调整图像的文件大小，图像的尺寸也发生相应变化。

图 1-24　打开素材图像

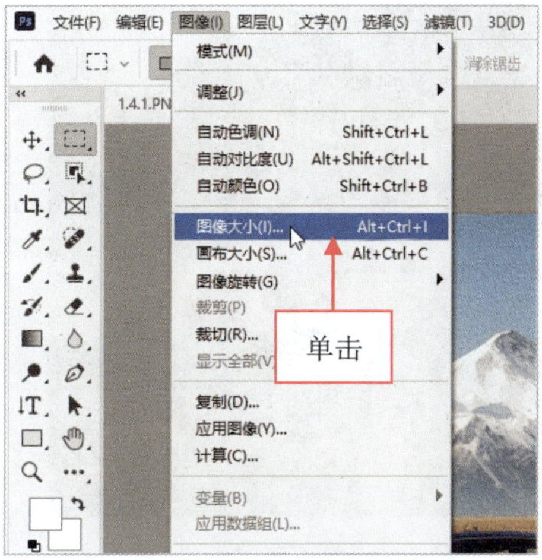

图 1-25　单击“图像大小”命令

Step 03　弹出“图像大小”对话框，在右侧设置“宽度”为 150 厘米，如图 1-26 所示。

Step 04　单击“确定”按钮，即可调整图像的尺寸，在图像左下方可以看到图像的尺寸大小有变化，如图 1-27 所示。

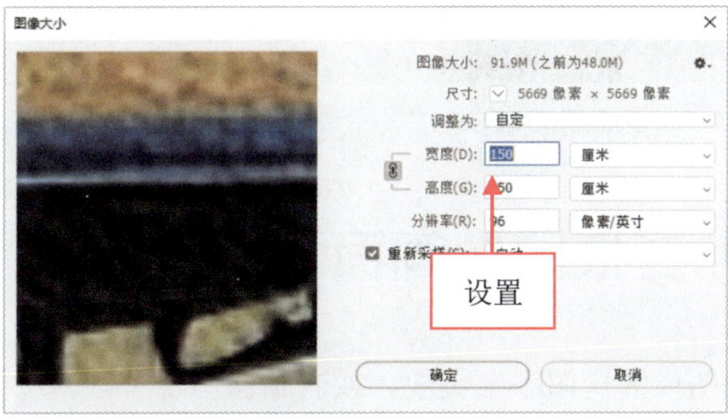

图 1-26　设置“宽度”为 150 厘米

图 1-27　调整图像尺寸

1.4.2　扩展画布大小

画布是指实际打印的工作区域，图像画面尺寸的大小是指当前图像周围工作空间的大小，改变画布大小直接会影响最终的输出效果。下面介绍扩展画布大小的操作方法。

扩展画布大小

Step 01　单击“文件”|“打开”命令，打开一幅素材图像，如图 1-28 所示。

Step 02　单击“图像”|“画布大小”命令，弹出“画布大小”对话框，在“新建大小”选项区中设置“宽度”为 1 500 像素，如图 1-29 所示。

Step 03　单击“确定”按钮，即可调整图像的画布大小，如图 1-30 所示，此时图像的左右两边显示了多余的空白区域。

图 1-28　打开素材图像

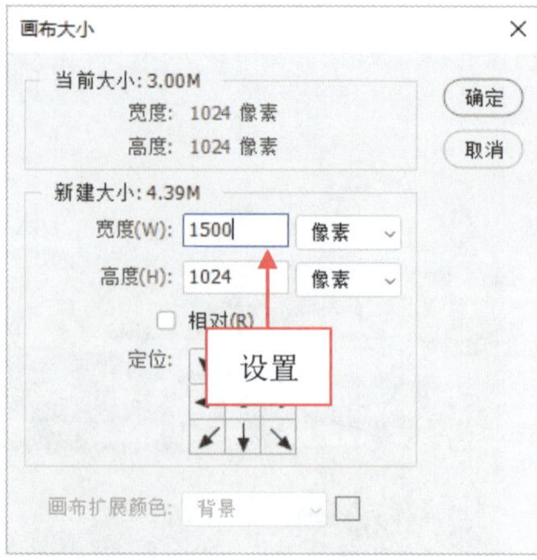

图 1-29　设置相应参数

图 1-30　调整图像的画布大小

1.5　裁剪和变换图像画面

在绘画与修图的过程中，有时候会发现图像的构图不太美观，或者画面出现了倾斜或颠倒的现象，此时需要对图像进行裁剪、旋转或翻转操作，使图像效果更加美观。本节主要介绍裁剪图像、旋转图像、水平翻转图像和垂直翻转图像的操作方法。

1.5.1　裁剪图像画面

裁剪图像画面

在 Photoshop 中，裁剪工具可以对图像进行裁剪操作，重新定义画布的大小。下面介绍运用裁剪工具裁剪图像画面的操作方法。

Step 01　单击“文件”|“打开”命令，打开一幅素材图像，如图 1-31 所示。

Step 02　在工具箱中，选取裁剪工具，如图 1-32 所示。

Step 03　选取裁剪工具后，在图像边缘会显示一个变换控制框，如图 1-33 所示。

Step 04　当鼠标指针移动至控制框边缘会呈形状，按住鼠标左键并拖曳，即可调整裁剪区域的大小，如图 1-34 所示。

图 1-31　打开素材图像

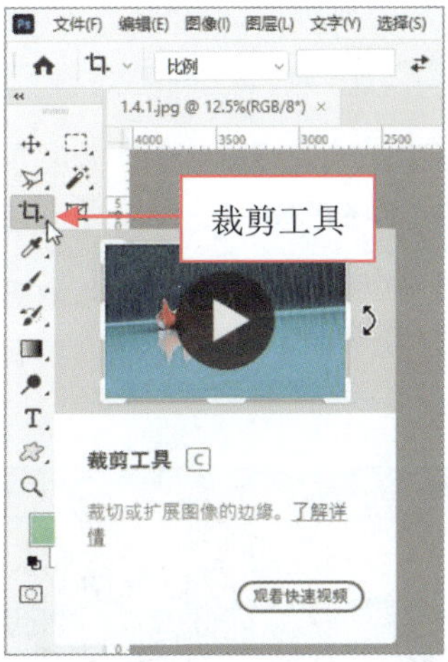

图 1-32　选取裁剪工具

图 1-33　显示变换控制框

图 1-34　调整裁剪区域的大小

Step 05 执行操作后，将鼠标移至变换框内，按住鼠标左键的同时并拖曳，即可调整控制框的位置，如图 1-35 所示。

Step 06 按【Enter】键确认，即可裁剪图像，效果如图 1-36 所示。

图 1-35　调整控制框的位置

图 1-36　完成裁剪操作

1.5.2　旋转图像画面

在 Photoshop 中，有些素材图像出现了反向或倾斜的情况，用户可以通过旋转画布对图像进行修正操作。下面介绍旋转图像画面的操作方法。

旋转图像画面

Step 01　单击“文件”|“打开”命令，打开一幅素材图像，如图 1-37 所示。

Step 02　在菜单栏中，单击“图像”|“图像旋转”|“180 度”命令，即可 180 度旋转画布，如图 1-38 所示。

图 1-37　打开素材图像

图 1-38　180 度旋转图像

1.5.3　水平翻转图像画面

在 Photoshop 中，用户可以根据图像设计的需要，对图像进行水平翻转操作。下面介绍水平翻转图像画面的操作方法。

水平翻转图像画面

Step 01　单击“文件”|“打开”命令，打开一幅素材图像，如图 1-39 所示。

Step 02　单击“图像”|“图像旋转”|“水平翻转画布”命令，即可水平翻转图像，如图 1-40 所示。

图 1-39　打开素材图像

图 1-40　水平翻转图像

1.5.4　垂直翻转图像画面

在 Photoshop 中，用户可以根据需要，对素材图像进行垂直翻转操作。下面介绍垂直翻转图像画面的操作方法。

垂直翻转图像画面

Step 01　单击“文件”|“打开”命令，打开一幅素材图像，如图 1-41 所示。

Step 02　单击“图像”|“图像旋转”|“垂直翻转画布”命令，如图 1-42 所示。

图 1-41　打开素材图像

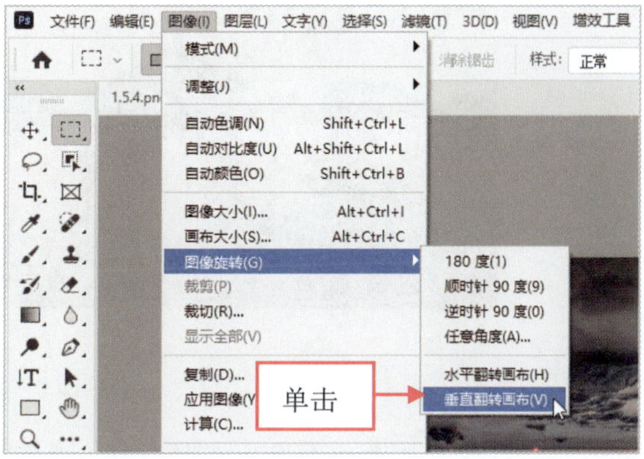

图 1-42　单击“垂直翻转画布”命令

Step 03　执行上述操作后，即可垂直翻转画布，如图 1-43 所示。

图 1-43　垂直翻转画布

本章小结

本章主要讲述了 Photoshop AI 入门、Photoshop 2024 的工作界面、图像文件的基本操作、调整图像尺寸和画布大小，以及裁剪和变换图像画面的操作方法，如调整图像尺寸、扩展画布大小，以及裁剪、旋转、水平翻转、垂直翻转图像画面。通过本章的学习，读者能够掌握 Photoshop AI 基本知识。

课后实训

课后实训

鉴于本章知识的重要性，为了帮助读者更好地掌握所学知识，本节将通过上机习题帮助读者进行简单的知识回顾和补充。

【效果对比】本习题需要掌握裁剪图像画面的方法。原图与效果对比如图 1-44 所示。

（a）　　　　（b）

图 1-44　原图与效果对比

Step 01　打开一幅素材图像，选取裁剪工具，如图 1-45 所示。

Step 02　拖曳素材图像四周的控制柄，调整裁剪区域的大小，如图 1-46 所示。

图 1-45　选取裁剪工具

图 1-46　调整裁剪区域的大小

Step 03　执行操作后，按【Enter】键确认，即可裁剪图像。

第 2 章

Photoshop AI 创成式填充

2

Photoshop 集成了很多 AI 功能，其中最强大的就是“创成式填充”功能。该功能让 Photoshop 成为了创作者和设计师不可或缺的工具之一。本章主要介绍 AI 创成式填充的操作技巧，帮助读者快速上手创成式填充功能。

本章重点

- 掌握 Photoshop AI 创成式填充功能
- 掌握 AI 创成式填充功能的应用实战

2.1　Photoshop AI 创成式填充功能

AI 创成式填充功能的原理其实就是 AI 绘画技术，通过绘制新的图像，或者扩展原有图像的画布生成更多的图像内容，同时还可以进行 AI 修图处理。有了 AI 创成式填充功能这种强大的工具，用户可以充分将创意与技术进行结合，并将图像的视觉冲击力发挥到极致。本节以实例的形式介绍创成式填充功能的应用，帮助读者更好地掌握 AI 创成式填充功能。

2.1.1　清除画面多余内容

清除画面多余内容

【效果对比】使用 Photoshop AI 的“创成式填充”功能，可以一键去除图像中的杂物或任何不想要的元素，它是通过 AI 绘画的方式来填充要去除元素的区域，而不是过去的“内容识别”或“近似匹配”方式，因此填充效果要更好。原图与效果对比如图 2-1 所示。

（a）　　（b）

图 2-1　原图与效果对比

下面介绍清除画面多余内容的操作方法。

Step 01　单击“文件”|“打开”命令，打开一幅素材图像，选取工具箱中的套索工具，如图 2-2 所示。

Step 02　运用套索工具在画面中的相应图像周围按住鼠标左键并拖曳，框住画面中的相应元素，如图 2-3 所示。

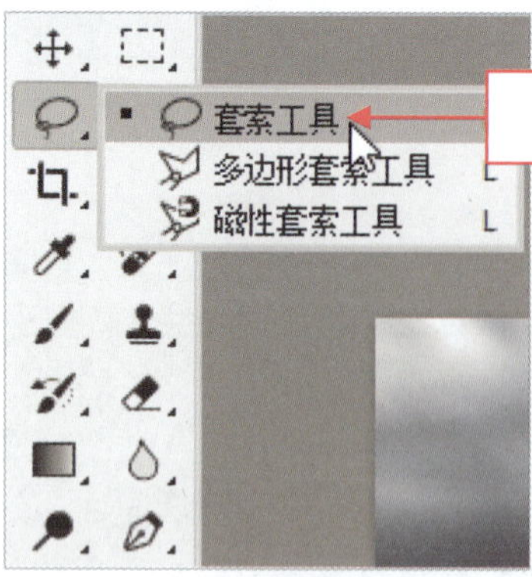

图 2-2　选取套索工具

图 2-3　框住画面中的相应元素

Step 03 ①释放鼠标左键，即可创建一个不规则的选区；②在下方的浮动工具栏中单击“创成式填充”按钮，如图 2-4 所示。

Step 04 执行操作后，在浮动工具栏中单击“生成”按钮，如图 2-5 所示。稍等片刻，即可去除选区中的图像元素。

图 2-4　单击“创成式填充”按钮

图 2-5　单击“生成”按钮

> **▶ 专家指点**
>
> 在 Photoshop 中，套索工具是一种用于选择图像区域的工具，它可以让用户手动绘制一个不规则的选区，以便在选定的区域内进行编辑、移动、删除或应用其他操作。在使用套索工具时，用户可以按住鼠标左键并拖曳来勾勒出自己想要选择的区域，从而更精确地控制图像编辑的范围。

2.1.2　风光照片添加动物

风光照片添加动物

【效果对比】使用 Photoshop AI 的“创成式填充”功能，可以在图像的局部区域进行 AI 绘画操作，用户只需要在画面中框选某个区域，然后输入想要生成的内容提示词，即可生成对应的图像内容。原图与效果对比如图 2-6 所示。

（a）　　（b）

图 2-6　原图与效果对比

下面介绍在风光照片中添加动物的操作方法。

Step 01 单击“文件”|“打开”命令，打开一幅素材图像，①运用套索工具创建一个不规则的选区；②在下方的浮动工具栏中单击“创成式填充”按钮，如图 2-7 所示。

Step 02 ❶在浮动工具栏左侧的输入框中输入提示词“飞鸟”；❷单击“生成”按钮，如图 2-8 所示，即可生成相应的图像效果。

图 2-7　单击“创成式填充”按钮

图 2-8　单击“生成”按钮

> ▶ 专家指点
>
> “创成式填充”功能利用先进的 AI 算法和图像识别技术，能够自动从周围的环境中推断出缺失的图像内容，并智能地进行填充。“创成式填充”功能使得移除不需要的元素或补全缺失的图像部分变得更加容易，节省了用户大量的时间和精力。

2.1.3　扩展画布空白区域

扩展画布空白区域

【效果对比】在 Photoshop 中扩展图像的画布后，使用“创成式填充”功能可以自动填充空白的画布区域，生成与原图像对应的内容。原图与效果对比如图 2-9 所示。

（a）　　（b）

图 2-9　原图与效果对比

下面介绍扩展画布空白区域的操作方法。

Step 01 单击“文件”|“打开”命令，打开一幅素材图像，在菜单栏中单击“图像”|“画布大小”命令，如图 2-10 所示。

Step 02 执行操作后，弹出“画布大小”对话框，❶选择相应的定位方向；❷设置“宽度”为 50 厘米，如图 2-11 所示。

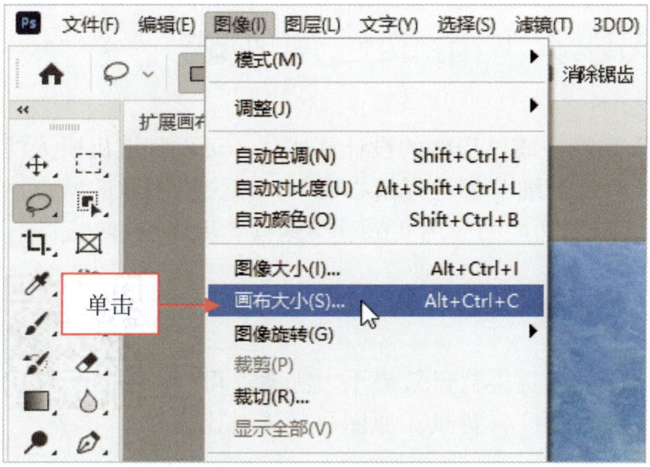

图 2-10　单击“画布大小”命令

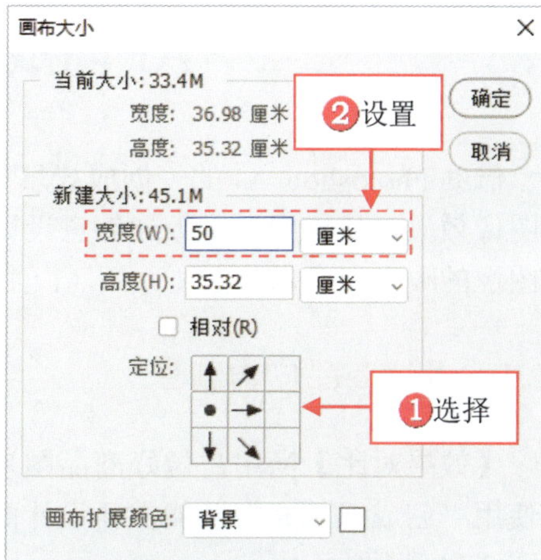

图 2-11　设置“宽度”参数

Step 03　单击“确定”按钮，即可从右侧扩展图像画布，效果如图 2-12 所示。

Step 04　选取工具箱中的矩形选框工具，在右侧空白画布上创建一个矩形选区，如图 2-13 所示。

图 2-12　从右侧扩展图像画布

图 2-13　创建矩形选区

Step 05　在下方的浮动工具栏中单击“创成式填充”按钮，如图 2-14 所示。

Step 06　执行操作后，在浮动工具栏中单击“生成”按钮，如图 2-15 所示。

图 2-14　单击“创成式填充”按钮

图 2-15　单击“生成”按钮

Step 07　稍等片刻，即可在空白的画布中生成相应的图像内容，且能够与原图像无缝融合。

2.2 AI 创成式填充功能的应用实战

借助 Photoshop AI 的“创成式填充”功能，通过巧妙的设计和优化，可以打造出引人注目的图像效果，从修图、排版到创意设计，对每个细节都进行精心雕琢，以突出图像的特点，增加图像的吸引力。本节主要介绍 AI 创成式填充功能的应用实战，帮助读者巩固所学知识。

2.2.1 设计商品广告背景

设计商品广告背景

【效果对比】当用户做好商品图片后，如果觉得背景效果不太满意，可以使用“创成式填充”功能重新设计商品图片的广告背景。原图与效果对比如图 2-16 所示。

（a）　　（b）

图 2-16　原图与效果对比

下面介绍设计商品广告背景的操作方法。

Step 01 单击“文件”|“打开”命令，打开一幅素材图像，在浮动工具栏中单击“选择主体”按钮，如图 2-17 所示。

Step 02 执行操作后，即可在主体上创建一个选区，如图 2-18 所示。

图 2-17　单击“选择主体”按钮

图 2-18　创建一个选区

Step 03 在选区下方的浮动工具栏中单击“反相选区”按钮，如图 2-19 所示。

Step 04 执行操作后，❶即可反选选区；❷单击“创成式填充”按钮，如图 2-20 所示。

图 2-19 单击“反相选区”按钮

图 2-20 单击“创成式填充”按钮

Step 05 ❶在浮动工具栏中输入相应提示词；❷单击“生成”按钮，如图 2-21 所示。

Step 06 执行操作后，即可改变背景效果，在浮动工具栏中单击“下一个变体”按钮，如图 2-22 所示，即可更换其他的背景样式。

图 2-21 单击“生成”按钮

图 2-22 单击“下一个变体”按钮

> **▶ 专家指点**
>
> Photoshop AI 绘画技术可以帮助设计师和广告制作人员快速生成各种平面设计和宣传资料，如广告海报、宣传图等图像素材。

2.2.2 快速去除广告文字

【效果对比】如果广告图片中有多余的文字或水印，用户可以使用“创成式填充”功能快速去除这些内容。原图与效果对比如图 2-23 所示。

快速去除广告文字

（a）　　　　　　　　（b）

图 2-23　原图与效果对比

下面介绍快速去除广告文字的操作方法。

Step 01 单击“文件”|“打开”命令，打开一幅素材图像，选取工具箱中的矩形选框工具，❶在左侧的文字上创建一个矩形选区；❷单击“创成式填充”按钮，如图 2-24 所示。

Step 02 执行操作后，在浮动工具栏中单击“生成”按钮，如图 2-25 所示，即可去除选区中的文字。

图 2-24　单击“创成式填充”按钮

图 2-25　单击“生成”按钮

2.2.3　去除画面多余人物

【效果对比】在拍摄风光照片的过程中，难免会拍到一些路人，此时即可使用“创成式填充”功能一键去除路人。原图与效果对比如图 2-26 所示。

下面介绍去除画面多余人物的操作方法。

去除画面多余人物

（a）　　　　　　　　（b）

图 2-26　原图与效果对比

Step 01 单击“文件”|“打开”命令，打开素材图像，选取工具箱中的套索工具，❶沿着相应人物的边缘创建一个选区；❷在浮动工具栏中单击“创成式填充”按钮，如图 2-27 所示。

Step 02 执行操作后，在浮动工具栏中单击“生成”按钮，如图 2-28 所示，即可去除选区中的人物。

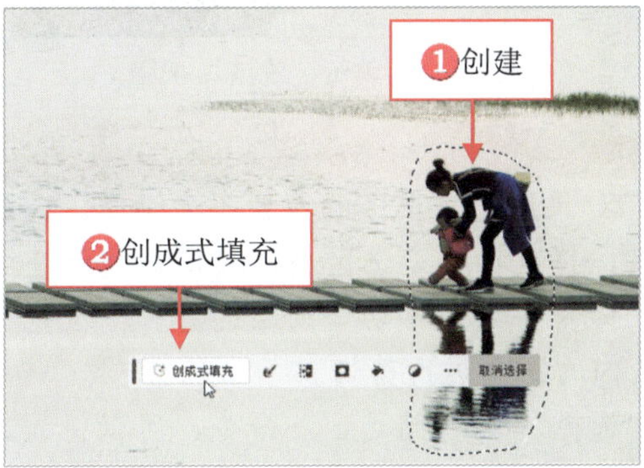

图 2-27　单击“创成式填充”按钮

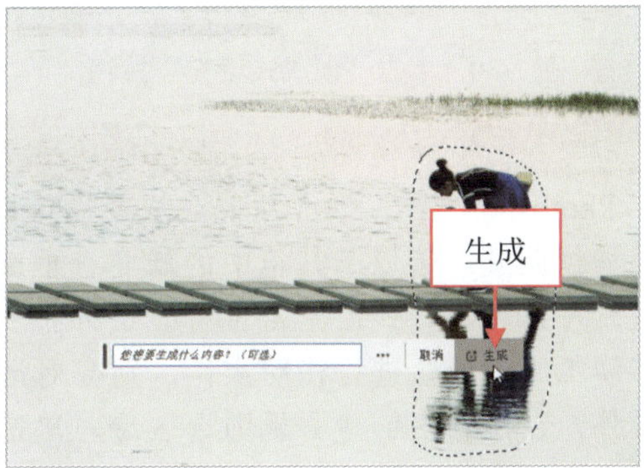

图 2-28　单击“生成”按钮

2.2.4　添加广告产品元素

添加广告产品元素

【效果对比】在做电商广告图时，可以使用“创成式填充”功能在画面中快速添加一些广告元素或产品对象，使广告效果更具吸引力。原图与效果对比如图 2-29 所示。

（a）　　　　　　　　（b）

图 2-29　原图与效果对比

下面介绍为广告添加产品元素的操作方法。

Step 01 单击“文件”|“打开”命令，打开素材图像，选取工具箱中的套索工具，❶在左下方创建一个不规则选区；❷单击“创成式填充”按钮，如图 2-30 所示。

Step 02 在左侧的输入框中输入提示词“化妆品”，单击“生成”按钮，如图 2-31 所示，即可创建电商产品对象。

图 2-30　单击“创成式填充”按钮

图 2-31　单击“生成”按钮

> **▶ 专家指点**
>
> 在 Photoshop 中使用 AI 功能生成新图像时，如果用户对选区的位置不太满意，此时可以对选区进行调整，选取工具箱中的任意选框工具，将鼠标移至选区内，当鼠标指针呈形状时，表示可以移动，此时单击鼠标左键并拖曳，即可将选区移动至图像的另一个位置。如果使用移动工具对选区进行移动操作，则会对选区内的图像进行剪切。
>
> 另外，在图像中创建不规则选区后，单击“选择”|“存储选区”命令，可以将该选区进行保存，方便以后调用。

2.2.5　快速更换画面主体

快速更换画面主体

【效果对比】用户在设计电商广告图片时，如果对于图片中的商品主体效果不满意，可以使用“创成式填充”功能快速更换主体。原图与效果对比如图 2-32 所示。

（a）　　（b）

图 2-32　原图与效果对比

下面介绍快速更换画面主体的操作方法。

Step 01 单击“文件”|“打开”命令，打开一幅素材图像，选取工具箱中的椭圆选框工具，按住【Alt】键的同时，以起点为中心创建一个椭圆选区，如图 2-33 所示。

Step 02 在浮动工具栏中单击“创成式填充”按钮，输入相应提示词，如图 2-34 所示。单击“生成”按钮，即可生成相应的美食图像。

图 2-33　创建椭圆选区

图 2-34　输入相应提示词

> ▶ **专家指点**
>
> 与创建椭圆选区有关的操作技巧如下。
>
> - 按【Shift + M】组合键，可快速选取椭圆选框工具。
> - 按【Shift】键，可创建正圆选区。
> - 按【Alt】键，可创建以起点为中心的椭圆选区。
> - 按【Alt + Shift】组合键，可创建以起点为中心的正圆选区。

2.2.6　快速更换衣服颜色

快速更换衣服颜色

【效果对比】使用 Photoshop AI 中的“创成式填充”功能给人物换装非常轻松，而且换装效果很自然。原图与效果对比如图 2-35 所示。

（a）

（b）

图 2-35　原图与效果对比

下面介绍快速更换衣服颜色的操作方法。

Step 01 单击“文件”|“打开”命令，打开一幅素材图像，使用套索工具在服装区域创建一个选区，如图 2-36 所示。

Step 02 在浮动工具栏中单击“创成式填充”按钮，❶输入提示词“绿色毛衣”；❷单击“生成”按钮，如图 2-37 所示，即可更换人物的服装。

图 2-36　创建一个选区

图 2-37　单击“生成”按钮

> **▶ 专家指点**
>
> 与创建矩形选区有关的操作技巧如下。
>
> - 按【M】键，可以选取矩形选框工具。
> - 按【Shift】键，可以创建正方形选区。
> - 按【Alt】键，可以创建以起点为中心的矩形选区。
> - 按【Alt + Shift】组合键，可以创建以起点为中心的正方形选区。

2.2.7　生成天空极光效果

生成天空极光效果

【效果对比】极光是一种神秘而美丽的自然现象，也是一种非常吸引人的视觉元素，通过在照片中添加极光，可以增加照片的光影效果。原图与效果对比如图 2-38 所示。

（a）　　（b）

图 2-38　原图与效果对比

下面介绍生成天空极光效果的操作方法。

Step 01 单击“文件”|“打开”命令，打开一幅素材图像，在工具箱中，选取快速选择工具，如图 2-39 所示。

Step 02 将鼠标指针移至图像编辑窗口中的天空位置，按住鼠标左键并拖曳，即可为天空区域创建选区，如图 2-40 所示。

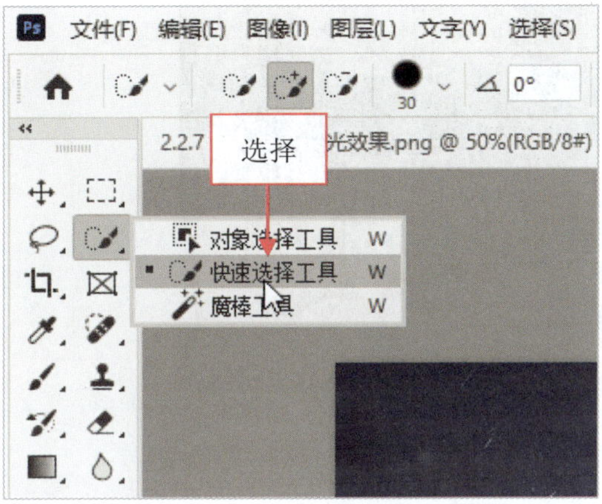

图 2-39　选取快速选择工具

图 2-40　为天空区域创建选区

Step 03 在浮动工具栏中单击“创成式填充”按钮，❶输入提示词“极光”；❷单击“生成”按钮，如图 2-41 所示。稍等片刻，即可为夜空照片添加极光效果。

图 2-41　单击“生成”按钮

> **▶ 专家指点**
>
> 快速选择工具默认选择光标周围与光标范围内的颜色类似且连续的图像区域，因此光标的大小决定着选取的范围。

2.2.8　制作水面倒影效果

【效果对比】在风景照片中添加水面倒影效果，可以使照片呈现出天空之镜的奇观美景。原图与效果对比如图 2-42 所示。

制作水面倒影效果

下面介绍制作水面倒影效果的操作方法。

（a）

（b）

图 2-42　原图与效果对比

Step 01 单击“文件”|“打开”命令，打开一幅素材图像，单击“图像”|“画布大小”命令，弹出“画布大小”对话框，❶选择相应的定位方向；❷设置“高度”为 3 000 像素，如图 2-43 所示。

Step 02 单击“确定”按钮，即可扩展画布下方的区域，如图 2-44 所示。

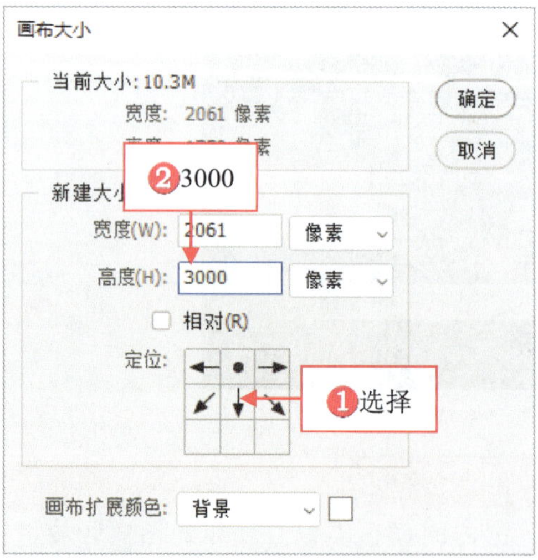

图 2-43　设置相应参数

图 2-44　扩展画布下方的区域

Step 03 选取工具箱中的矩形选框工具，通过鼠标拖曳的方式，在图像下方创建一个矩形选区，如图 2-45 所示。

Step 04 在浮动工具栏中单击“创成式填充”按钮，❶输入提示词“倒影”；❷单击“生成”按钮，如图 2-46 所示。稍等片刻，即可为风景照片添加水面倒影。

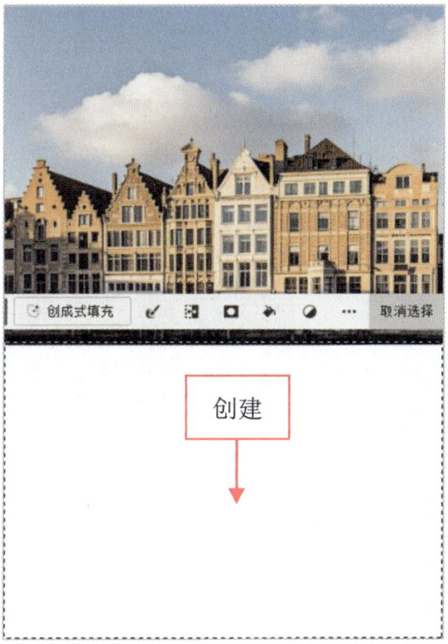

图 2-45　创建一个矩形选区

图 2-46　单击“生成”按钮

2.2.9　草原风光创意制作

草原风光创意制作

【效果对比】Photoshop AI 中的“创成式填充”功能，可以通过智能分析图像内容并生成新元素，来扩充和增强图像效果。例如，有一张草原风景照片，可以用这个功能在草原上智能添加些帐篷、小狗等元素，来丰富画面的细节和趣味性。原图与效果对比如图 2-47 所示。

（a）　　（b）

图 2-47　原图与效果对比

下面介绍制作富有创意的草原风光效果的操作方法。

Step 01　单击“文件”|“打开”命令，打开一幅素材图像，选取工具箱中的矩形选框工具⬚，创建一个矩形选区，如图 2-48 所示。

Step 02　在浮动工具栏中单击“创成式填充”按钮，输入提示词“帐篷”，如图 2-49 所示。

图 2-48　创建矩形选区

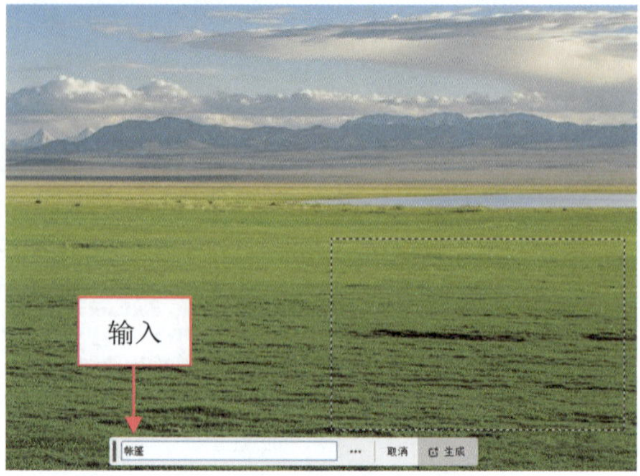

图 2-49　输入相应提示词

Step 03 单击“生成”按钮，即可生成相应的帐篷图像，效果如图 2-50 所示。“创成式填充”功能可以分析草原的色彩、光影等视觉信息，然后自动生成风格连贯的新内容。

Step 04 运用矩形选框工具⬚再次创建一个矩形选区，❶在“属性”面板的“提示”输入框中输入提示词“小狗”；❷单击“生成”按钮，如图 2-51 所示，即可生成相应的小狗图像。

图 2-50　生成帐篷图像

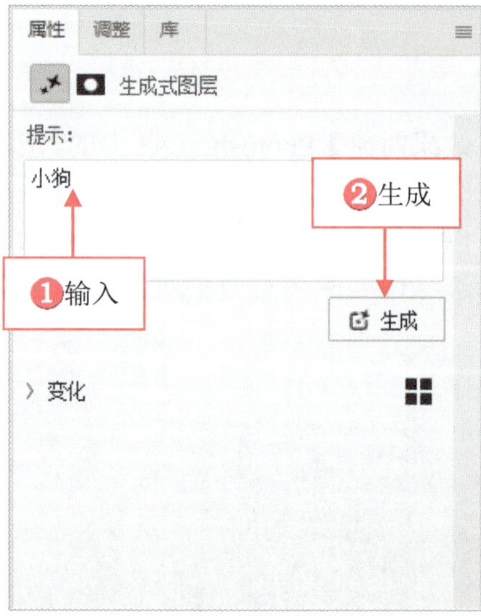

图 2-51　单击“生成”按钮

本章小结

本章首先介绍了 Photoshop AI 的创成式填充功能，主要包括清除、添加画面内容和扩展画布空白区域；接着讲解了 AI 创成式填充功能的一系列实战案例。通过本章的学习，读者能够快速掌握 Photoshop AI 创成式填充功能。

课后实训

课后实训

鉴于本章知识的重要性，为了帮助读者更好地掌握所学知识，本节将通过上机习题帮助读者进行简单的知识回顾和补充。

【效果对比】使用创成式填充功能扩展图像两侧的区域。原图与效果对比如图 2-52 所示。

（a）

（b）

图 2-52　原图与效果对比

Step 01 打开一幅素材图像，单击“图像”|“画布大小”命令，弹出“画布大小”对话框，设置“宽度”为 800 像素，如图 2-53 所示。

Step 02 单击“确定”按钮，即可从左右两侧扩展图像画布，选取工具箱中的矩形选框工具，在图像空白区域创建矩形选区，如图 2-54 所示。

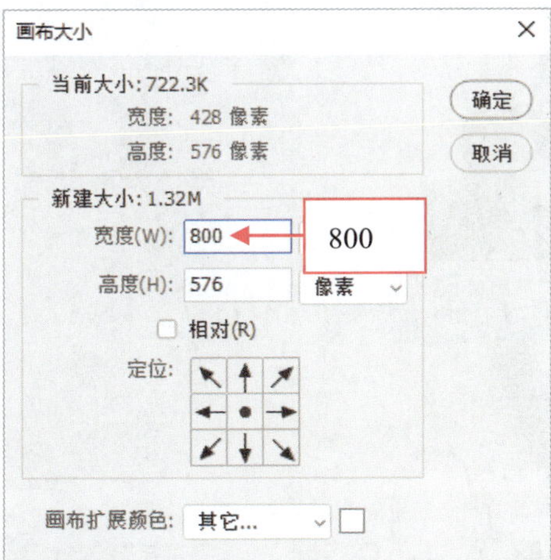

图 2-53　设置“宽度”为 800 像素

图 2-54　创建矩形选区

Step 03 在下方的浮动工具栏中单击“创成式填充”按钮，然后单击“生成”按钮，稍等片刻，即可在空白的画布中生成相应的图像内容，且能够与原图像无缝融合。

第 3 章 Photoshop AI 智能抠图

3

抠图是一种常用的 Photoshop 后期处理技术，通过精准的抠图处理，可以轻松打造出专业级的风光图像或电商图片效果。无论是图像后期处理还是电商美工设计，掌握了 Photoshop 的抠图技巧，都将为作品增添无限可能。本章将详细介绍 Photoshop 的各种智能抠图技术，提升用户的操作效率。

本章重点

- 了解常用的 AI 抠图命令和功能
- 熟悉其他的 AI 抠图工具

3.1　常用的 AI 抠图命令和功能

在图像处理或平面设计中，掌握常用的 Photoshop 抠图方法是至关重要的一步。无论是想要去掉背景、提取主体对象，还是创建逼真的合成场景，熟悉并掌握 Photoshop 抠图方法将为用户轻松打开图像设计的“创作之门”。本节将介绍一些 Photoshop AI 抠图方法。

3.1.1　“主体”命令

“主体”命令

【效果对比】使用“主体”命令，可以快速识别出商品图片中的主体对象，从而完成抠图操作。原图与效果对比如图 3-1 所示。

（a）　　　　（b）

图 3-1　原图与效果对比

下面介绍使用“主体”命令抠取商品对象的操作方法。

Step 01　单击“文件”|“打开”命令，打开一幅素材图像，在菜单栏中单击“选择”|“主体”命令，如图 3-2 所示。

Step 02　执行操作后，即可自动选中图像中的商品主体部分，如图 3-3 所示。按【Ctrl + J】组合键拷贝一个新图层，并隐藏“图层 1”图层，即可抠出主体部分。

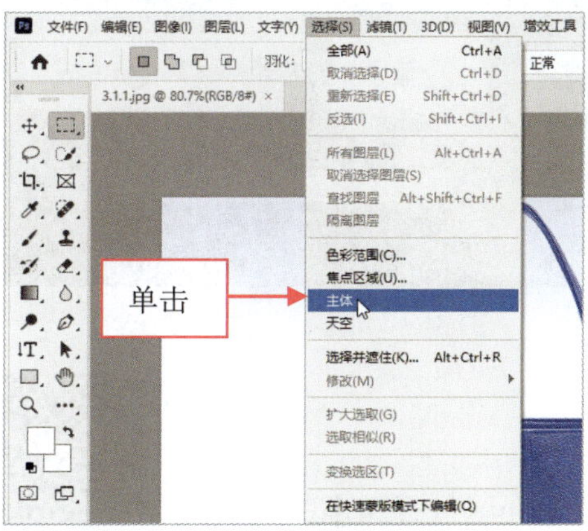

图 3-2　单击“主体”命令

图 3-3　选中图像中的商品对象

> **▶ 专家指点**
>
> Photoshop 中的“主体”命令能够高效地帮助用户分离出复杂图像中的主体部分，以便进行精细的编辑和效果应用。

3.1.2 “天空”命令

“天空”命令

【效果对比】使用“天空”命令，可以快速识别出图像中的天空部分，从而完成抠图处理，同时还可以结合“创成式填充”功能绘制新的天空效果，如果用户对图像中的天空效果不满意，就可以使用此方法进行“换天”。原图与效果对比如图 3-4 所示。

（a）　（b）

图 3-4　原图与效果对比

下面介绍使用“天空”命令将图像的天空换成日落夕阳的操作方法。

Step 01 单击“文件”|“打开”命令，打开一幅素材图像，单击菜单栏中的“选择”|“天空”命令，自动选中图像中的天空部分，如图 3-5 所示。

Step 02 在工具栏中单击“创成式填充”按钮，❶输入提示词“日落夕阳”；❷单击“生成”按钮，如图 3-6 所示，执行操作后，即可生成新的天空图像。

图 3-5　选中天空部分

图 3-6　单击“生成”按钮

3.1.3 “色彩范围”命令

“色彩范围”命令

【效果对比】使用“色彩范围”命令可以快速创建选区进行精准的抠图处理，其选取原理是以颜色作为依据。原图与效果对比如图 3-7 所示。

(a)

(b)

图 3-7 原图与效果对比

▶ 专家指点

"色彩范围"对话框中各主要选项的基本含义如下。

- **选择：**用来设置选区的创建方式。选择"取样颜色"选项时，可将光标放在文档窗口中的图像上，或在"色彩范围"对话中预览图像上单击，对颜色进行取样。为添加颜色取样，为减去颜色取样。
- **本地化颜色簇：**当选中该复选框后，拖动"范围"滑块可以控制要包含在蒙版中的颜色与取样的最大和最小距离。
- **颜色容差：**是用来控制颜色的选择范围，该值越高，包含的颜色就越广。
- **选区预览图：**选区预览图包含了两个选项，选中"选择范围"单选按钮时，预览区的图像中呈白色的代表被选择的区域；选中"图像"单选按钮时，预览区会出现彩色图像。
- **选区预览：**设置文档的选区的预览方式。用户选择"无"选项，表示不在窗口中显示选区；用户选择"灰度"选项，可以按照选区在灰度通道中的外观来显示选区；选择"灰色杂边"选项，可在未选择的区域上覆盖一层黑色；选择"白色杂边"选项，可在未选择的区域上覆盖一层白色；选择"快速蒙版"选项，可以显示选区在快速蒙版状态下的效果，此时，未选择的区域会覆盖一层红色。
- **载入/存储：**用户单击"存储"按钮，可将当前的设置保存为选区预设；单击"载入"按钮，可以载入存储的选区预设文件。
- **反相：**可以反转选区。

下面介绍使用"色彩范围"命令抠图调色的操作方法。

Step 01 单击"文件"|"打开"命令，打开一幅素材图像，单击"选择"|"色彩范围"命令，弹出"色彩范围"对话框，❶设置"颜色容差"为 50；❷选取添加到取样工具；❸在花朵图像上多次单击鼠标左键，如图 3-8 所示。

Step 02 单击"确定"按钮，即可选中相应图像，如图 3-9 所示。

Step 03 单击"图像"|"调整"|"色相/饱和度"命令，弹出"色相/饱和度"对话框，在其中设置"色相"为-135、"饱和度"为 70，如图 3-10 所示。

Step 04 单击“确定”按钮，即可更改图像的颜色，完成最终效果，如图 3-11 所示，按【Ctrl + D】组合键，取消选区。

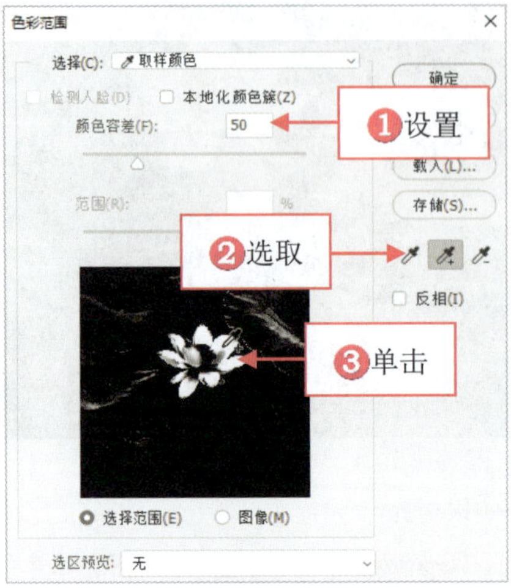

图 3-8　在花朵图像上多次单击

图 3-9　选中相应图像

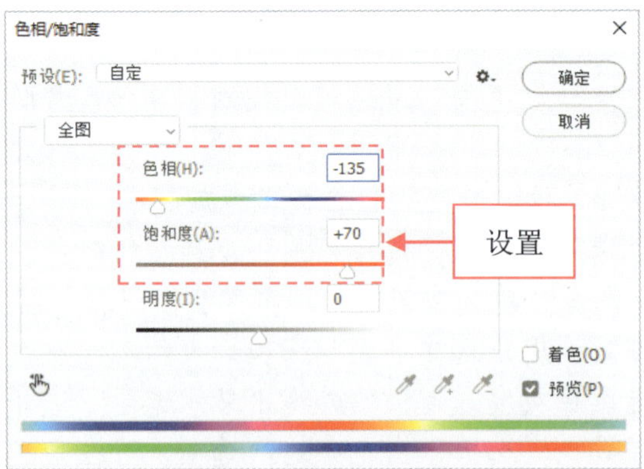

图 3-10　设置相应参数

图 3-11　最终效果

▶ 专家指点

使用“色相/饱和度”命令，可以调整整幅图像或单个颜色分量的色相、饱和度和亮度值，还可以同步调整图像中所有的颜色。

在“色相/饱和度”对话框中，各主要选项含义如下。

- **预设**：在“预设”列表框中提供了 8 种色相/饱和度预设方案，如增加饱和度、红色提升、深褐以及黄色提升等。
- **通道**：在“通道”列表框中可以选择全图、红色、黄色、绿色、青色、蓝色和洋红通道，进行色相、饱和度和明度的参数调整。
- **着色**：选中该复选框后，图像会整体偏向于单一的红色调。
- **在图像上单击并拖动可修改饱和度**：使用该工具在图像上单击设置取样点以后，向右拖曳鼠标可以增加图像的饱和度；向左拖曳鼠标可以降低图像的饱和度。

3.1.4　“焦点区域”命令

“焦点区域”命令

【效果对比】使用“焦点区域”命令，可以快速选择图像中的对焦对象，并将其与图像的其余部分分离，方便用户对景深较为明显的图像进行快速抠图操作，可以提升抠图效率。原图与效果对比如图 3-12 所示。

（a）

（b）

图 3-12　原图与效果对比

下面介绍使用“焦点区域”命令自动抠取对象的操作方法。

Step 01　单击“文件”|“打开”命令，打开一幅素材图像，单击“选择”|“焦点区域”命令，如图 3-13 所示。

Step 02　弹出“焦点区域”对话框，❶单击“视图”右侧的下拉按钮；❷在弹出的列表框中选择“闪烁虚线”选项，如图 3-14 所示。

图 3-13　单击“焦点区域”命令

图 3-14　选择“闪烁虚线”选项

Step 03　在“参数”选项区中，设置“焦点对准范围”为 1.64，如图 3-15 所示。

Step 04　单击“确定”按钮，即可快速抠取图像中的鸡翅对象，为鸡翅创建选区，如图 3-16 所示。

图 3-15　设置“焦点对准范围”参数

图 3-16　为鸡翅创建选区

> ▶ 专家指点
>
> 单击“视图”右侧的下拉按钮，在弹出的列表框中若选择“黑底”选项，则抠取出来的图像以黑底显示；若选择“白底”选项，则抠取出来的图像以白底显示。

Step 05 选取工具箱中的套索工具，在工具属性栏中使用“添加到选区”按钮和“从选区减去”按钮，对选区进行优化处理，如图 3-17 所示。

Step 06 在鸡翅选区上添加和减去相应选区，对鸡翅选区进行优化处理，如图 3-18 所示。

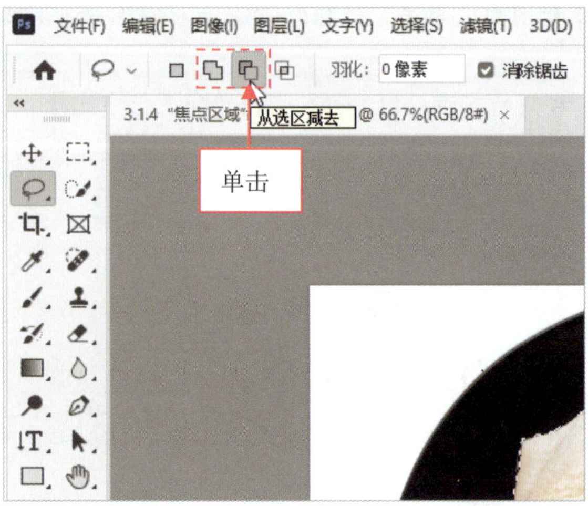

图 3-17　依次单击相应按钮

图 3-18　添加和减去相应选区

Step 07 按【Ctrl + J】组合键拷贝一个新图层，得到“图层 1”图层，如图 3-19 所示。

Step 08 单击“文件”|“打开”命令，打开一幅素材图像，如图 3-20 所示。

> ▶ 专家指点
>
> 用户还可以在 Photoshop 中单击“图层”|“新建”|“通过拷贝的图层”命令，也可以拷贝一个新图层。

图 3-19　拷贝一个新图层

图 3-20　打开一幅素材图像

Step 09　切换至抠取的素材图像窗口中，然后将拷贝的新图层复制并粘贴至打开的素材图像中，如图 3-21 所示。

Step 10　按【Ctrl + T】组合键，调整图像的大小和位置，如图 3-22 所示，按【Enter】键确认操作，即可完成图像的抠图处理。

图 3-21　复制并粘贴素材图像

图 3-22　调整图像的大小和位置

3.1.5　“选择主体”功能

“选择主体”功能

【效果对比】Photoshop 中的“选择主体”功能采用了先进的机器学习技术，经过学习训练后能够识别图像上的多种对象，包括人物、动物、车辆、玩具等，可以帮助用户快速在图像中的主体对象上创建一个选区，便于进行抠图和合成处理。原图与效果对比如图 3-23 所示。

下面介绍使用“选择主体”功能进行抠图的操作方法。

（a）　　　　　　　　　　　　（b）

图 3-23　原图与效果对比

Step 01　单击“文件”|“打开”命令，打开一幅素材图像，在图像下方的浮动工具栏中，单击“选择主体”按钮，如图 3-24 所示。

Step 02　执行操作后，即可在图像中的人物主体上创建一个选区，如图 3-25 所示。

图 3-24　单击“选择主体”按钮

图 3-25　创建一个选区

Step 03　按【Ctrl + J】组合键拷贝一个新图层，并隐藏“图层 1”图层，图像效果如图 3-26 所示。

Step 04　按【Ctrl + T】组合键，调整人物的大小和位置，如图 3-27 所示，按【Enter】键确认操作，即可完成图像的抠图处理。

图 3-26　隐藏图层后的效果

图 3-27　最终效果

3.1.6　“删除背景”功能

“删除背景”功能

【效果对比】对于轮廓比较清晰的图像主体，可以使用“删除背景”功能快速进行抠图。原图与效果对比如图 3-28 所示。

（a）　　（b）

图 3-28　原图与效果对比

下面介绍使用“删除背景”功能更换图片背景的操作方法。

Step 01　单击“文件”|“打开”命令，打开一幅素材图像，在“图层”面板中，选择“图层 1”图层，如图 3-29 所示。

Step 02　单击“窗口”|“属性”命令，展开“属性”面板，在“快速操作”选项区中单击“删除背景”按钮，如图 3-30 所示，即可抠出画面中的主体对象。

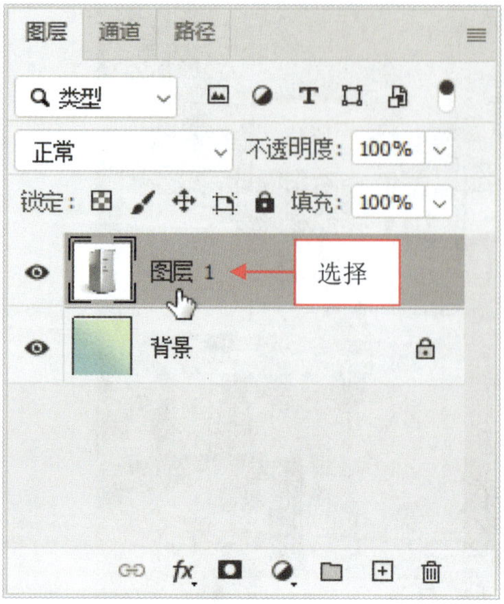

图 3-29　选择“图层 1”图层

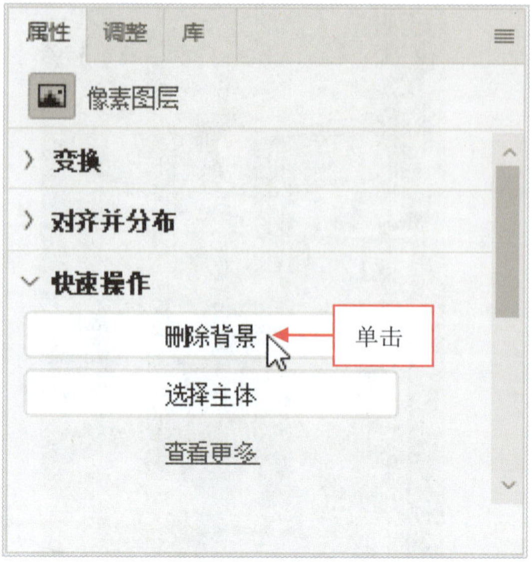

图 3-30　单击“删除背景”按钮

3.1.7　“移除背景”功能

“移除背景”功能

【效果对比】Photoshop 提供了一个便捷操作的浮动工具栏，其中就有一个非常实用的“移除背景”功能，可以帮助用户快速进行抠图处理。原图与效果对比如图 3-31 所示。

（a）

（b）

图 3-31　原图与效果对比

下面介绍使用“移除背景”功能更换背景效果的操作方法。

Step 01 单击“文件”|“打开”命令，打开一幅素材图像，在“图层”面板中，选择“图层 1”图层，在图像下方的浮动工具栏中单击“移除背景”按钮，如图 3-32 所示。

Step 02 执行操作后，即可抠出主体图像，按【Ctrl + T】组合键，调整主体图像的大小和位置，如图 3-33 所示，按【Enter】键确认操作，即可完成图像的抠图处理。

图 3-32 单击“移除背景”按钮

图 3-33 调整主体图像的大小和位置

3.2 其他的 AI 抠图工具

在图像后期处理过程中，由于照片拍摄时的取景问题，常常会使拍摄出来的照片内容过于复杂，如果直接使用容易降低图像画面的表现力，因此需要抠出主体部分单独使用。本节将介绍如何使用 Photoshop 中的其他 AI 工具进行精准抠图。

3.2.1 对象选择工具

对象选择工具

【效果对比】对象选择工具可以快速识别图像中的某些对象，只需要用该工具进行简单标记，就可以自动生成复杂的选区，实现精准抠图。对象选择工具与传统抠图工具不同，它可以明显感知物体的完整边界，大幅提高抠图质量。原图与效果对比如图 3-34 所示。

（a）（b）

图 3-34 原图与效果对比

下面介绍使用对象选择工具抠取蛋糕的操作方法。

Step 01 单击“文件”|“打开”命令，打开一幅素材图像，在“图层”面板中，选择“图层 1”图层，选取工具箱中的对象选择工具，将鼠标指针移至蛋糕图像上，能够自动识别物体的完整轮廓，并显示为一个红色蒙版，如图 3-35 所示。

Step 02 单击鼠标左键，即可在图像上创建一个选区，如图 3-36 所示。

图 3-35　显示红色蒙版

图 3-36　在图像上创建一个选区

Step 03 在“图层”面板中，按【Ctrl + J】组合键拷贝一个新图层，得到“图层 2”图层，如图 3-37 所示。

Step 04 隐藏“图层 1”图层，如图 3-38 所示，即可抠出蛋糕图像。

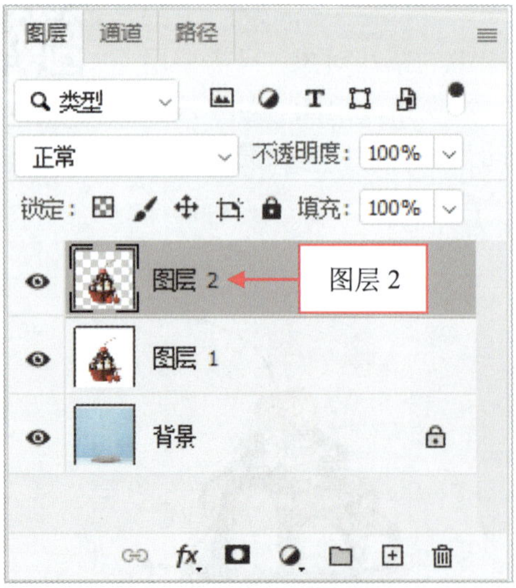

图 3-37　得到“图层 2”图层

图 3-38　隐藏“图层 1”图层

3.2.2　魔术橡皮擦工具

魔术橡皮擦工具

【效果对比】运用魔术橡皮擦工具可以擦除图像中所有与鼠标单击处颜色相近的像素。当在被锁定透明像素的普通图层中擦除图像时，被擦除的图像将更改为背景色；当在“背景”图层或普通图层中擦除图像时，被擦除的图像将显示为透明色。魔术橡皮擦工具常用于背景较简单的抠图处理。原图与效果对比如图 3-39 所示。

（a）　（b）

图 3-39　原图与效果对比

下面介绍使用魔术橡皮擦工具抠取口红图像的操作方法。

Step 01 单击“文件”|“打开”命令，打开一幅素材图像，选取工具箱中的魔术橡皮擦工具，如图 3-40 所示。

Step 02 保持工具属性栏中的默认设置，将鼠标指针移至白色背景区域上，如图 3-41 所示，单击鼠标左键，即可擦除背景，抠出口红图像。

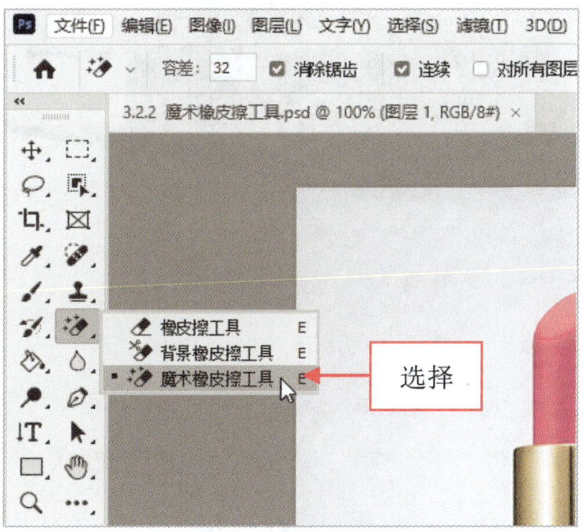

图 3-40　选取魔术橡皮擦工具

图 3-41　移至白色背景区域上

3.2.3　快速选择工具

【效果对比】快速选择工具可以通过调整画笔的笔触、硬度和间距等参数而快速通过单击或拖动创建选区，拖动时，选区会向外扩展并自动查找和跟随图像中定义的边缘，对选区进行修饰处理后，可以快速抠出汽车主体。原图与效果对比如图 3-42 所示。

快速选择工具

（a）　　　　　　　　　　　　　　　　　（b）

图 3-42　原图与效果对比

下面介绍使用快速选择工具抠取汽车主体的操作方法。

Step 01 单击“文件”|“打开”命令，打开一幅素材图像，选取工具箱中的快速选择工具，如图 3-43 所示。

Step 02 在汽车图像上按住鼠标左键并拖曳，创建一个选区，如图 3-44 所示。

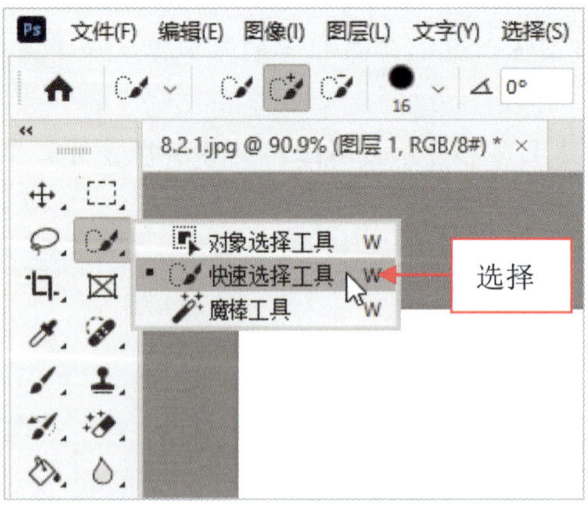

图 3-43　选取快速选择工具

图 3-44　创建一个选区

Step 03 在工具属性栏中，单击“选择并遮住”按钮，如图 3-45 所示。

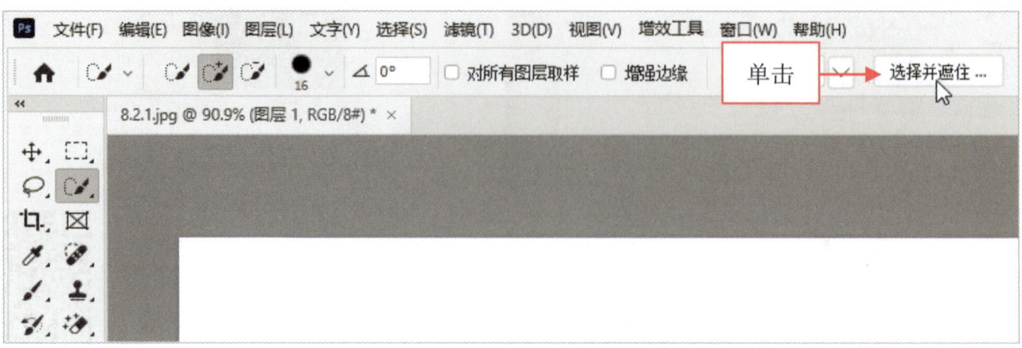

图 3-45　单击“选择并遮住”按钮

Step 04 进入相应界面，在左侧工具箱中选取调整边缘画笔工具，如图 3-46 所示。

Step 05　在右侧的“属性”面板中，设置“视图”为“叠加”，如图 3-47 所示，以红色区域显示被抠取的对象，方便查看抠取的图像效果。

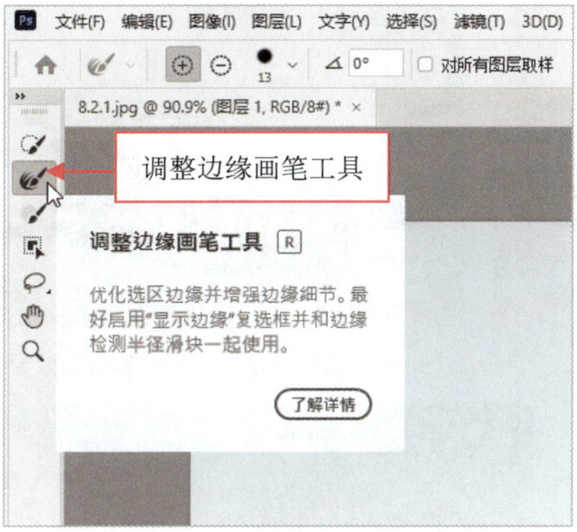

图 3-46　选取调整边缘画笔工具

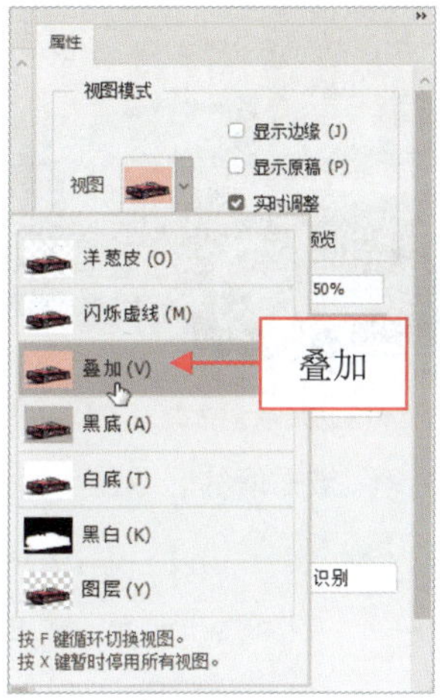

图 3-47　设置“视图”为“叠加”

Step 06　在“全局调整”选项区中，设置“羽化”为“1.5 像素”、“移动边缘”为-3%，设置“输出到”为“新建图层”，如图 3-48 所示。这一步的作用是使抠取的图像边缘更加平滑、自然，然后将抠取的选区图像放置在新建的图层中。

Step 07　在中间的图像编辑窗口中，以红色区域显示被抠取的对象，如图 3-49 所示。

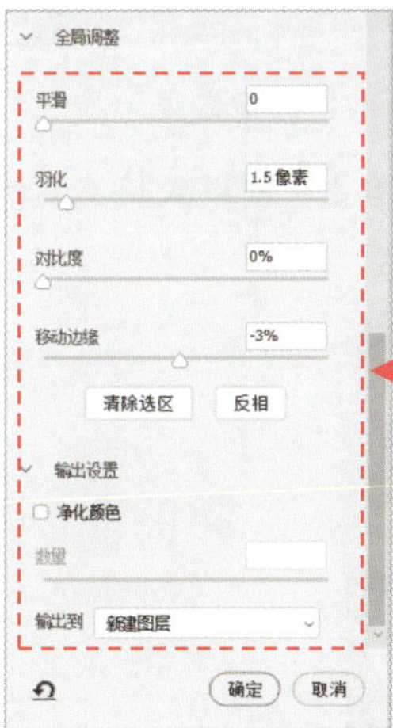

图 3-48　设置各选项

图 3-49　以红色区域显示对象

Step 08　在汽车的边缘处，按住鼠标左键并拖曳，即可抠取细节，被抠取的区域显示为红色，如图 3-50 所示。

Step 09　图像抠取完成后，单击右下角的“确定”按钮，返回图像编辑窗口，此时可以看到汽车图像已经被抠取出来了，如图 3-51 所示。

Step 10　被抠取的图像自动生成了“图层 1 拷贝”图层，原图层被自动隐藏起来了，如图 3-52 所示。

Step 11　按【Ctrl + T】组合键，调整主体图像的大小和位置，如图 3-53 所示，按【Enter】键确认操作，即可完成调整图像的位置。

图 3-50　被抠取的区域显示为红色

图 3-51　抠取汽车图像效果

图 3-52　“图层”面板

图 3-53　查看抠取的图像效果

Step 12　❶使用快速选择工具将汽车后端的阴影部分进行选取，单击“创成式填充”按钮；❷单击“生成”按钮，如图 3-54 所示，即可让阴影变得更加自然。

图 3-54　单击“生成”按钮

3.2.4　魔棒工具

【效果对比】魔棒工具的作用是在一定的容差值范围内，将颜色相同的区域同时选中，建立选区以达到抠出图像的目的。原图与效果对比如图 3-55 所示。

魔棒工具

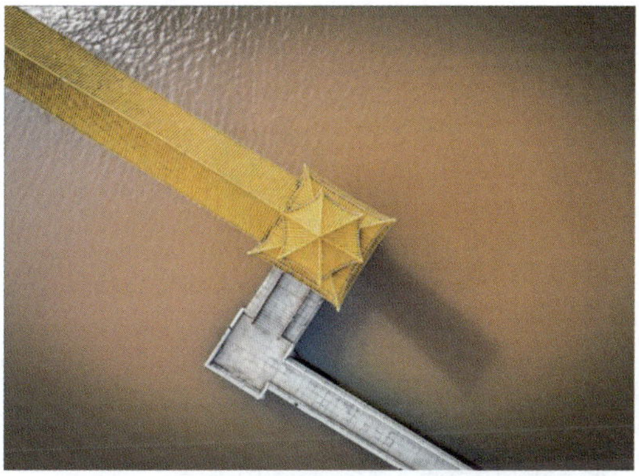

（a）

（b）

图 3-55　原图与效果对比

下面介绍使用魔棒工具快速抠取主体对象的操作方法。

Step 01　单击“文件”|“打开”命令，打开一幅素材图像，选取工具箱中的魔棒工具，在工具属性栏中设置“容差”为 3，移动鼠标至图像编辑窗口中，在背景上多次单击鼠标左键，即可选中背景区域，如图 3-56 所示。

Step 02　单击“选择”|“反选”命令，反选选区，如图 3-57 所示，按【Ctrl + J】组合键拷贝一个新图层，并隐藏“图层 1”图层，即可抠出主体对象。

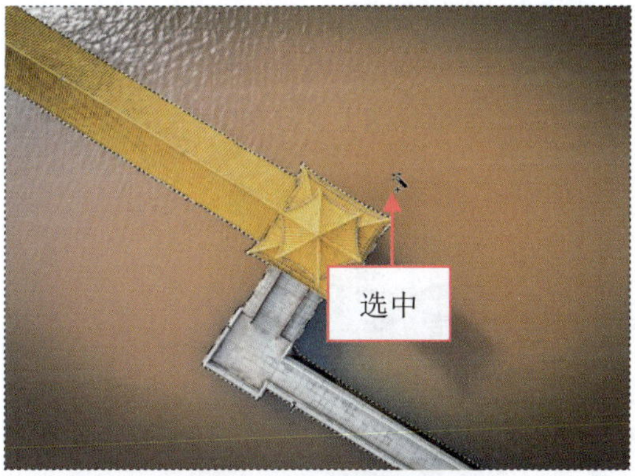

图 3-56　选中背景区域

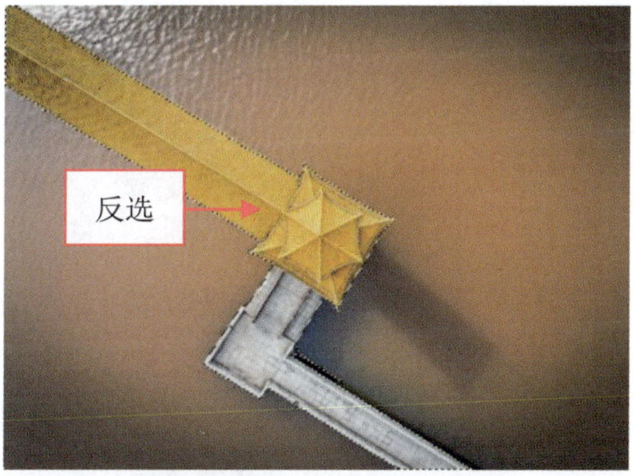

图 3-57　反选选区

> ▶ 专家指点
>
> 在使用魔棒工具选取图像时，如果在工具属性栏中选中“连续”复选框，则只选取与单击处相邻的、容差范围内的颜色区域。在进行选择多个不连续、但是性质相同的图像区域时，可以使用该方法，从而不必一个一个去单击选取，在抠图过程中可以节省很多时间。

3.2.5　磁性套索工具

磁性套索工具

【效果对比】磁性套索工具具有类似磁铁般的磁性特点，在操作时画面上方会出现自动跟踪的线，这条线总是会走向一种颜色与另一种颜色的边界处。边界越明显，工具的磁力就越强，通过连接工具所选区域的首尾，即可完成选区的创建。原图与效果对比如图 3-58 所示。

（a）

（b）

图 3-58　原图与效果对比

下面介绍使用磁性套索工具抠取化妆品的操作方法。

Step 01　单击“文件”|“打开”命令，打开一幅素材图像，选取工具箱中的磁性套索工具，在商品主体边缘的合适位置处单击鼠标左键，并沿着需要抠图的图像边缘进行移动，鼠标经过的地方会生成一条线，如图 3-59 所示。

Step 02　选取需要抠图的部分，在开始处单击鼠标左键，可建立选区，如图 3-60 所示。按【Ctrl + J】组合键，拷贝选区内图像，建立一个新图层，并隐藏“图层 1”图层，即可抠出图像。

图 3-59　生成一条线

图 3-60　建立选区

本章小结

本章首先介绍了常用的 AI 抠图命令和功能，主要包括“主体”命令、“天空”命令、“色彩范围”命令、“焦点区域”命令、“选择主体”功能、“删除背景”功能、“移除背景”功能；接着介绍了一些常用的 AI 抠图工具，主要包括对象选择工具、魔术橡皮擦工具、快速选择工具、魔棒工具以及磁性套索工具。通过本章的学习，读者能够掌握 Photoshop 的各种智能抠图技术，提升操作效率。

课后实训

课后实训

鉴于本章知识的重要性，为了帮助读者更好地掌握所学知识，本节将通过上机习题帮助读者进行简单的知识回顾和补充。

【效果对比】使用 Photoshop 抠出下图中的女士手提包。原图与效果对比如图 3-61 所示。

（a）　　　　（b）

图 3-61　原图与效果对比

Step 01　单击“文件”|“打开”命令，打开一幅素材图像，选取工具箱中的魔棒工具，在工具属性栏中设置“容差”为 2，移动鼠标至图像编辑窗口中，在背景上多次单击鼠标左键，即可选中背景区域，如图 3-62 所示。

Step 02　单击“选择”|“反选”命令，反选选区，如图 3-63 所示，按【Ctrl + J】组合键拷贝一个新图层，并隐藏“背景”图层，即可抠出商品主体。

图 3-62　选中背景区域

图 3-63　反选选区

第 4 章

Photoshop AI 智能修图

4

在 Photoshop AI 中通过巧妙的修图技术，可以创造出令人惊叹的视觉效果，同时还能提升作品的质量和吸引力。对于用户拍摄的风光作品，或者通过 AI 工具生成的电商图片，Photoshop AI 都能对其进行优化处理，提升图片的精美度。本章主要介绍 Photoshop AI 智能修图的相关操作，让创作更高效，修图更精确，效果更出色。

本章重点

- 掌握智能化修图命令
- 熟知如何运用智能化修图工具

4.1　智能化修图命令

使用 Photoshop 中的智能化修图命令，如“填充”命令、“生成式填充”命令、“内容识别填充”命令以及“天空替换”命令等，可以对图像进行快速修图处理，修补图像的瑕疵，调整图像的局部，让图像效果更加出色，细节更加完美。

4.1.1　“填充”命令

“填充”命令

【效果对比】使用“填充”命令，可以为图像中的选区填充前景色、背景色、内容识别或者是图案。原图与效果对比如图 4-1 所示。

（a）　　（b）

图 4-1　原图与效果对比

下面介绍使用“填充”命令进行局部智能填充的操作方法。

Step 01　打开一幅素材图像，选取工具箱中的套索工具，在画面中的相应图像位置创建一个不规则选区，如图 4-2 所示。

Step 02　在菜单栏中，单击“编辑”|“填充”命令，如图 4-3 所示。

图 4-2　创建一个不规则选区

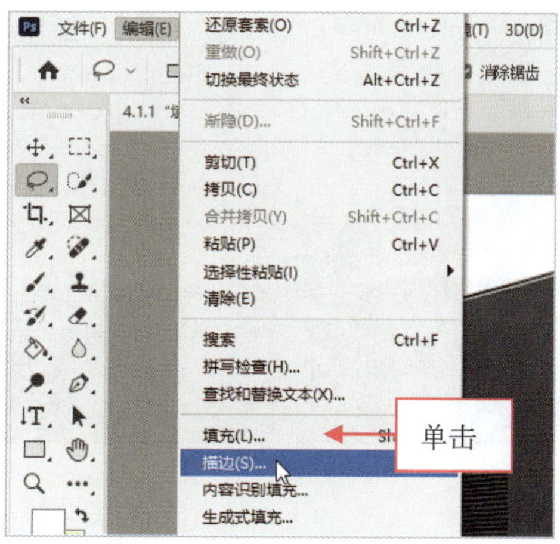

图 4-3　单击“填充”命令

Step03 弹出“填充”对话框，设置“内容”为“白色”，如图 4-4 所示。

Step04 单击“确定”按钮，即可使用白色填充选区内的图像，如图 4-5 所示，按【Ctrl + D】组合键，取消选区。

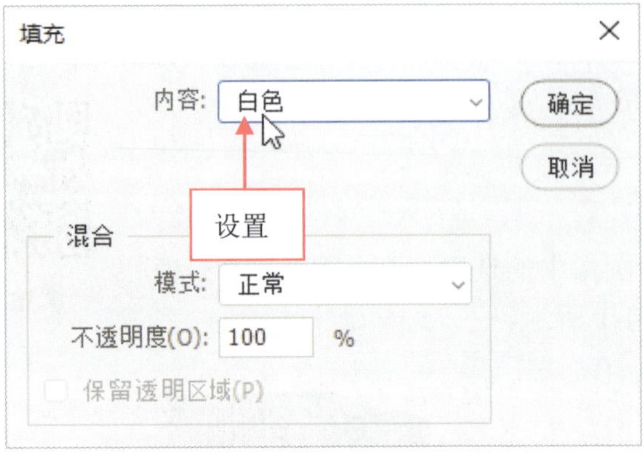

图 4-4 设置“内容”为“白色”

图 4-5 使用白色填充选区内的图像

▶ 专家指点

在“填充”对话框中，各主要选项含义如下。

- **内容**：在该列表框中可以选择多种填充类型，如前景色、背景色、颜色、黑色、50% 灰色以及白色等。
- **混合**：用于设置填充模式和不透明度。
- **保留透明区域**：对图层进行颜色填充时，可以保留透明的部分不填充颜色，该复选框只有对透明的图层进行填充时才有效。

4.1.2 “生成式填充”命令

“生成式填充”命令

【效果对比】Photoshop 中的“生成式填充”命令与“创成式填充”功能一样，都是通过 AI 自动生成相应的图像效果，并且与原图像无缝融合。原图与效果对比如图 4-6 所示。

（a）

（b）

图 4-6 原图与效果对比

下面介绍使用“生成式填充”命令智能修图的操作方法。

Step01 打开一幅素材图像，选取工具箱中的套索工具，在画面中的相应图像位置创建一个不规则选区，如图 4-7 所示。

Step02 在菜单栏中，单击“编辑”菜单，在弹出的菜单列表中单击“生成式填充”命令，如图 4-8 所示。

图 4-7　创建一个不规则选区

图 4-8　单击“生成式填充”命令

Step03 弹出“创成式填充”对话框，这里不需要输入任何内容，直接单击“生成”按钮，如图 4-9 所示。

Step04 执行操作后，即可生成相应的图像效果，如图 4-10 所示。在“属性”面板的“变化”选项区中选择相应的图像，即可改变画面中生成的图像效果。

图 4-9　单击“生成”按钮

图 4-10　生成相应的图像效果

> ▶ 专家指点
>
> 在“创成式填充”对话框的“提示”文本框中，用户输入相应的中文或英文关键词内容，单击“生成”按钮，即可生成相应指令的图像效果。

4.1.3　“内容识别填充”命令

【效果对比】利用 Photoshop 的“内容识别填充”命令可以将复杂背景中不需要的杂物部分清除干净，从而达到完美的智能修图效果，还可以扩展图像的区域。原图与效果对比如图 4-11 所示。

“内容识别填充”命令

（a）　　　　　　　　　　　　（b）

图 4-11　原图与效果对比

下面介绍使用“内容识别填充”命令快速修图的操作方法。

Step 01　打开一幅素材图像，❶选取工具箱中的矩形选框工具⬚；❷在右侧的空白画布上创建一个矩形选区，如图 4-12 所示。

（a）　　　　　　　　　　　　（b）

图 4-12　创建一个矩形选区

Step 02　单击“编辑”|“内容识别填充”命令，弹出相应窗口。在该窗口右侧单击“自动”按钮，自动取样修补画面内容，如图 4-13 所示，单击“确定”按钮，即可快速修图。

图 4-13　自动取样修补画面内容

4.1.4 “内容识别缩放”命令

“内容识别缩放”命令

【效果对比】“内容识别缩放”命令可以在放大图像的同时最大限度地保留细节质量，合理重建视觉内容，让优质的细节不再因放大而丢失。原图与效果对比如图 4-14 所示。

（a）　　　　（b）

图 4-14　原图与效果对比

下面介绍使用“内容识别缩放”命令缩放照片的操作方法。

Step 01 打开一幅素材图像，单击“背景”图层右侧的图标，将“背景”图层解锁，单击“图像”|“画布大小”命令，弹出“画布大小”对话框，设置“宽度”为 2 500 像素，如图 4-15 所示，扩展画布的宽度。

Step 02 单击“确定”按钮，即可扩展画布，如图 4-16 所示。

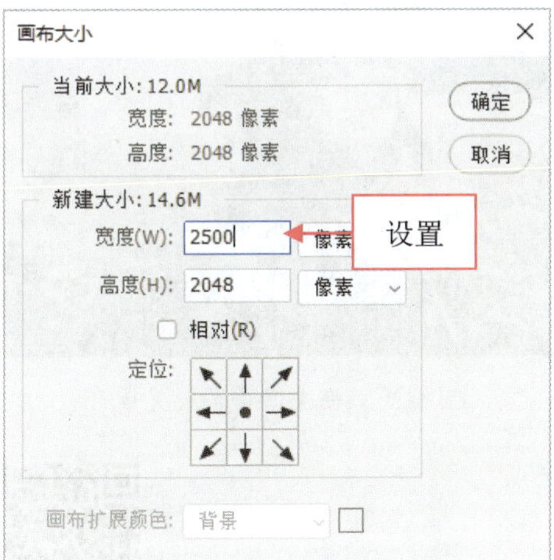

图 4-15　设置“宽度”参数

图 4-16　扩展画布

Step 03 运用矩形选框工具在人物周围创建一个矩形选区，在选区内单击鼠标右键，在弹出的快捷菜单中选择“存储选区”选项，如图 4-17 所示。

Step 04 执行操作后，弹出“存储选区”对话框，设置“名称”为“人物”，如图 4-18 所示，单击“确定”按钮存储选区，并取消选区。

图 4-17　选择“存储选区”选项

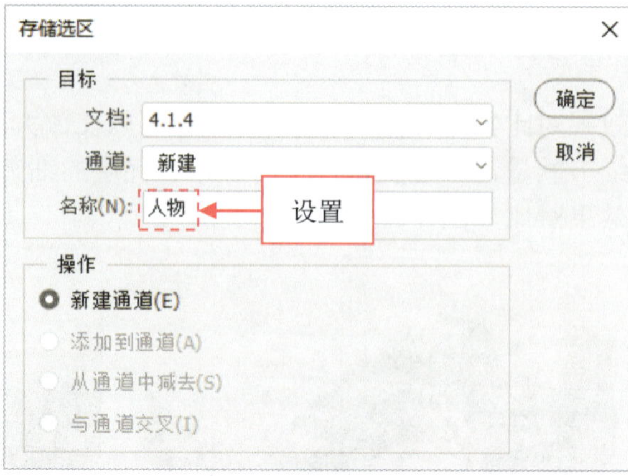

图 4-18　设置“名称”选项

> **▶ 专家指点**
>
> 在图像中创建选区后，在菜单栏中单击“选择”|“存储选区”命令，也可以弹出“存储选区”对话框。

Step 05 单击“编辑”|“内容识别缩放”命令，调出变换控制框，在工具属性栏中的“保护”列表框中选择“人物”选项，如图 4-19 所示。

Step 06 调整变换控制框的大小，将图像覆盖整个画布，如图 4-20 所示，单击“完成”按钮确认变换操作，即可放大图像，同时人物不受变换操作的影响。

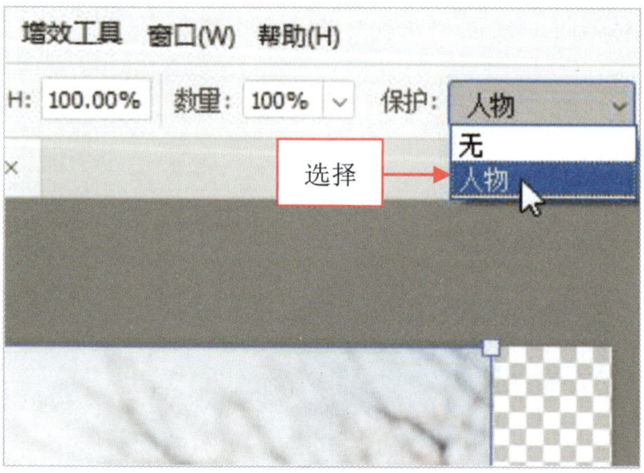

图 4-19　选择“人物”选项

图 4-20　将图像覆盖整个画布

4.1.5　“自动对齐图层”命令

【效果展示】Photoshop 中的“自动对齐图层”命令主要用于自动调整多个图层的位置，使它们在水平、垂直或其他方向对齐，这个功能对于合并多个图像或图层，以创建无缝效果或进行复杂的图像合成非常有用，效果如图 4-21 所示。

“自动对齐图层”命令

图 4-21　效果展示

下面介绍使用“自动对齐图层”命令一键合成全景图的操作方法。

Step 01　打开一幅素材图像，全选所有图层，如图 4-22 所示。

Step 02　在菜单栏中，单击“编辑”|“自动对齐图层”命令，弹出“自动对齐图层”对话框，选中“自动”单选按钮，如图 4-23 所示。

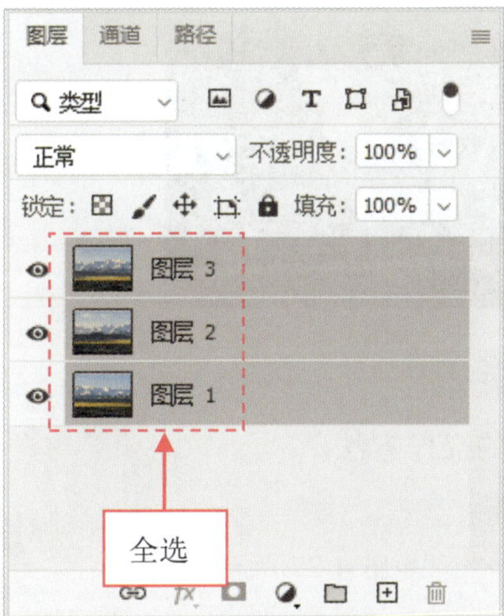

图 4-22　全选所有图层

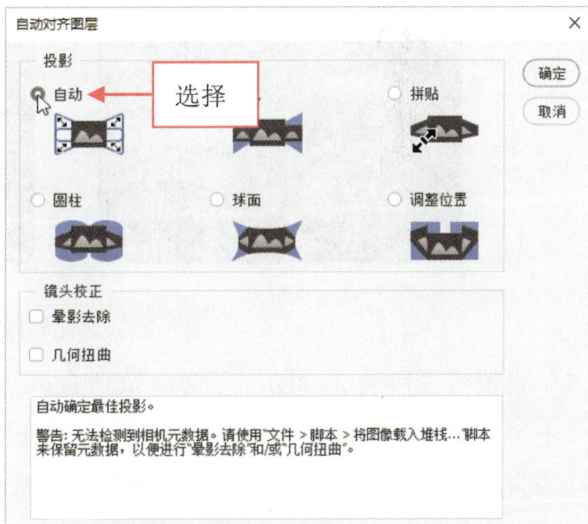

图 4-23　选中“自动”单选按钮

Step 03　单击“确定”按钮，即可一键合并全景图，如图 4-24 所示。

图 4-24　合并全景图效果

4.1.6 “自动混合图层”命令

“自动混合图层”
命令

“自动混合图层”命令主要用于合并多张具有不同焦点的照片，使得焦点堆栈的过程更加自动化和高效，减少了手动调整的需要，为摄影师和图像编辑人员提供了便捷的操作，以创建具有扩展景深的视觉效果。

【效果对比】本实例主要对风光照片进行焦点合成操作，Photoshop 中一共有两个图层，图层 1 为小狗清晰，而草地模糊；图层 2 为小狗模糊，但草地清晰，需要使用“自动混合图层”命令对这两个图层进行焦点合成操作，使画面中的所有元素都能清晰展现。原图与效果对比如图 4-25 所示。

（a）　　（b）

图 4-25　原图与效果对比

下面介绍使用“自动混合图层”命令快速合成照片的操作方法。

Step 01 打开一幅素材图像，全选所有图层，如图 4-26 所示。

Step 02 在菜单栏中，单击“编辑” | “自动混合图层”命令，如图 4-27 所示。

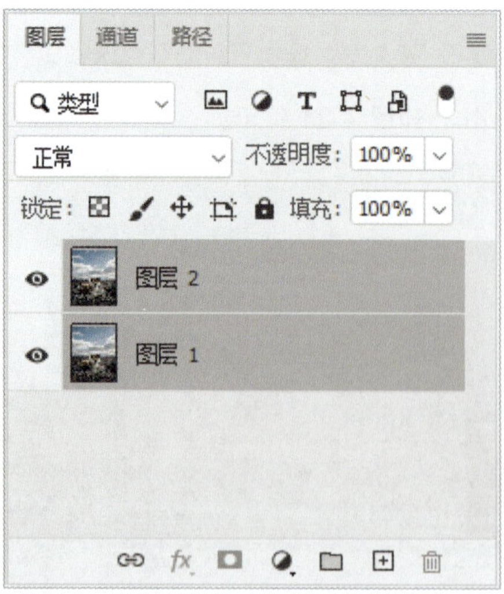

图 4-26　全选所有图层

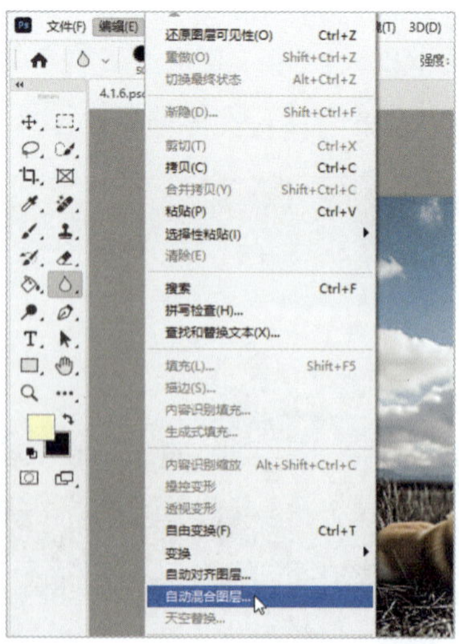

图 4-27　单击“自动混合图层”命令

Step 03 弹出“自动混合图层”对话框，选中“堆叠图像”单选按钮，如图 4-28 所示。

Step 04 单击“确定”按钮，即可一键融合照片，“图层”面板中显示了相应的蒙版图层，并生成新的图层，如图 4-29 所示。

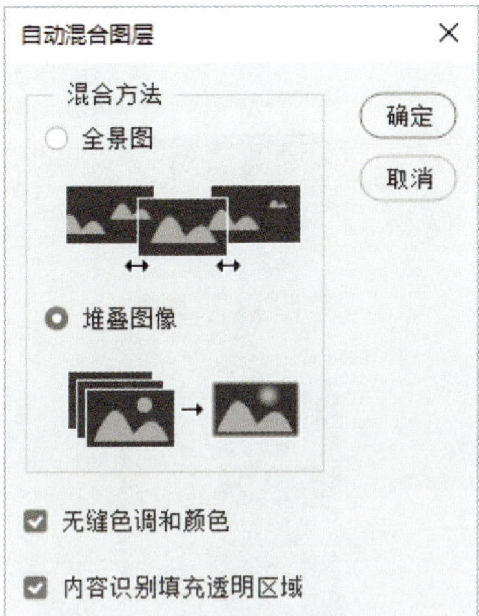

图 4-28　选中相应单选按钮

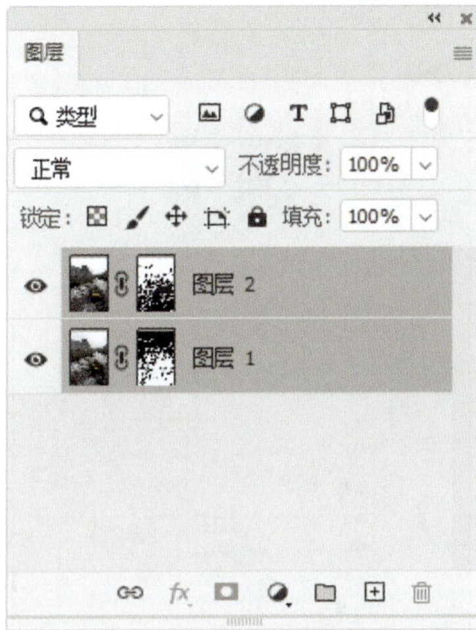

图 4-29　生成新的图层

> ▶ **专家指点**
>
> 在“自动混合图层”对话框中若选中“全景图”单选按钮，也可以快速合成全景图片。

4.1.7　“天空替换”命令

“天空替换”命令

在风景照片的后期处理中，合理的天空效果可以极大地提升图像的美感和品质，而 Photoshop 的“天空替换”命令提供了简单直接的方式来实现这一效果。

【效果对比】“天空替换”对话框中内置了多种高质量的天空图像模板，用户也可以导入外部图片作为自定义天空。“天空替换”命令可以将素材图像中的天空自动替换为更迷人的天空，同时保留图像的自然景深。原图与效果对比如图 4-30 所示。

（a）　　　　（b）

图 4-30　原图与效果对比

下面介绍使用“天空替换”命令合成蓝天白云的操作方法。

Step 01 打开一幅素材图像，单击“编辑”|“天空替换”命令，弹出“天空替换”对话框，单击“天空”右侧的下拉按钮，如图 4-31 所示。

Step 02 在弹出的列表框中选择相应的蓝天白云图像模板，如图 4-32 所示，单击“确定”按钮，即可合成新的天空图像。

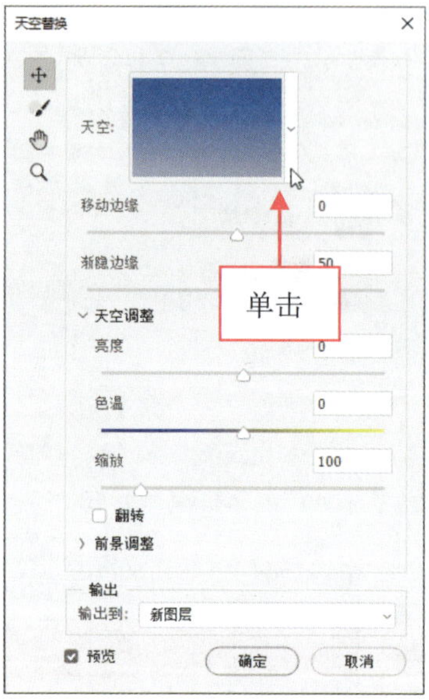

图 4-31　单击相应按钮

图 4-32　选择相应天空图像模板

▶ 专家指点

在“天空替换”对话框中各主要选项含义如下。

- **天空**：在该列表框中，提供了多种天空模板可供用户选择。
- **亮度**：可以调整天空区域的亮度。
- **色温**：可以调整天空区域的色温。
- **输出到**：其中包括“新图层”和“复制图层”两个选项，用户可以选择输出方式。

4.2　智能化修图工具

在拍摄风光照片时，往往会因为环境因素的影响，使拍摄出来的照片出现瑕疵，在 Photoshop 中提供了多种智能化修图工具，如移除工具、污点修复画笔工具、修补工具以及红眼工具等，用户可以根据需要选择适当的工具修补照片，使照片效果更好。

4.2.1　移除工具

移除工具

【效果对比】在后期处理照片时，有时候会遇到影响构图的干扰元素，如电线杆、路牌标志、树叶等，如果逐一擦除这些元素既费时又容易留下痕迹。使用 Photoshop 中的移除工具，可以一键智能去除这些干扰元素，大幅提高工作效率。原图与效果对比如图 4-33 所示。

（a）　　（b）

图 4-33　原图与效果对比

下面介绍使用移除工具去除图中多余元素的操作方法。

Step 01　打开一幅素材图像，选取工具箱中的移除工具，如图 4-34 所示，在工具属性栏中设置“大小”为 150。

Step 02　移动鼠标指针至相应的图像上，按住鼠标左键并拖曳，对图像进行涂抹，鼠标涂抹过的区域呈现淡红色，如图 4-35 所示，释放鼠标左键，即可去除对应的图像。

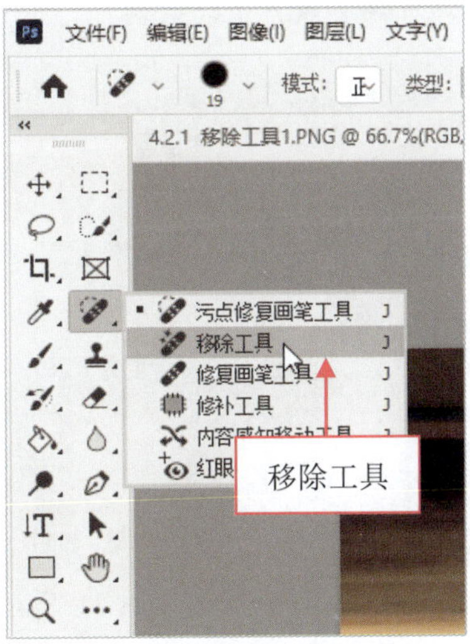

图 4-34　选取移除工具

图 4-35　对图像进行涂抹

4.2.2　污点修复画笔工具

【效果对比】使用污点修复画笔工具时，该工具会自动进行像素的取样，然后在图像中有瑕疵的地方进行涂抹，即可修复图像。原图与效果对比如图 4-36 所示。

污点修复画笔工具

▶ 专家指点

Photoshop 中的污点修复画笔工具能够自动分析鼠标涂抹处及周围图像的不透明度、颜色与质感，从而进行取样与修复操作。

下面介绍使用污点修复画笔工具修复照片瑕疵的操作方法。

（a）　　（b）

图 4-36　原图与效果对比

Step 01 打开一幅素材图像，①选取工具箱中的污点修复画笔工具；②在工具属性栏中设置画笔“大小”为 50 像素，如图 4-37 所示。

Step 02 移动鼠标指针至照片中的污点处，按住鼠标左键并拖曳，对图像进行涂抹，鼠标涂抹过的区域呈现黑色，如图 4-38 所示，释放鼠标左键，即可修复照片中的瑕疵。

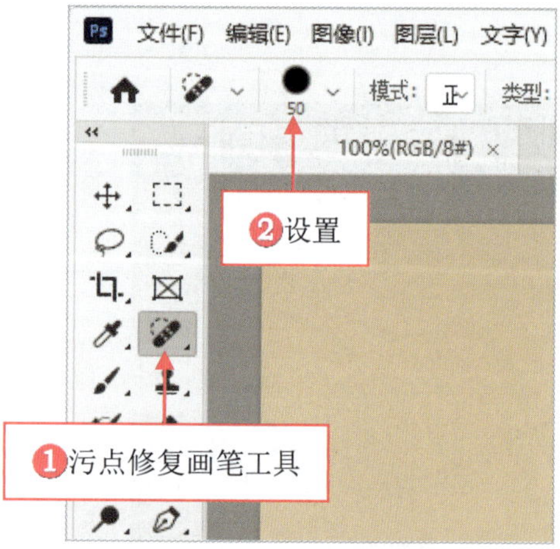

图 4-37　设置画笔的大小

图 4-38　对图像进行涂抹

▶ 专家指点

在污点修复画笔工具属性栏中，各主要选项含义如下。

- **模式**：在该列表框中可以设置修复图像与目标图像之间的混合方式。
- **内容识别**：选中该单选按钮修复图像时，将根据图像内容识别像素并自动填充。
- **创建纹理**：选中该单选按钮后，在修复图像时，将根据当前图像周围的纹理自动创建一个相似的纹理，从而在修复瑕疵的同时保证不改变原图像的纹理。
- **近似匹配**：选中该单选按钮修复图像时，将根据当前图像周围的像素来修复瑕疵。
- **对所有图层取样**：选中该复选框，可以从所有的可见图层中提取数据。

4.2.3 修补工具

修补工具

【效果对比】修补工具可以使用其他区域的色块或图案来修补选中的区域，使用修补工具修复图像时，可以将图像的纹理、亮度和层次进行保留。原图与效果对比如图 4-39 所示。

（a）　　　　　　（b）

图 4-39　原图与效果对比

> **▶ 专家指点**
>
> 选取工具箱中的修补工具后，其工具属性栏中各主要选项含义如下。
>
> - **选区运算按钮组**：是针对应用创建选区的工具进行的操作，可以对选区进行添加、删除等处理。单击“新选区”按钮，可以在图像中创建不重复的选区；如果用户要在已经创建的选区之外再加上另外的选择范围，可以单击“添加到选区”按钮，即可得到两个选区范围的并集；单击“从选区减去”按钮，是对已存在的选区利用选框工具将原有选区减去一部分；在创建一个选区后，单击“与选区交叉”按钮，再创建一个与原选区相交的选区，此时就会得到两个选区的交集。
> - **修补**：用于设置图像的修补方式。
> - **源**：单击该按钮，当将选区拖曳至要修补的区域以后，释放鼠标左键就会用当前选区中的图像修补原来选中的内容。
> - **目标**：单击该按钮，会将选中的图像复制到目标区域。
> - **透明**：该复选框用于设置所修复图像的透明度。
> - **使用图案**：单击该按钮，可以应用图案对所选区域进行修复。

下面介绍使用修补工具进行智能修复的操作方法。

Step 01 打开一幅素材图像，选取工具箱中的修补工具，在图像中需要修补的位置按住鼠标左键并拖曳，创建一个选区，如图 4-40 所示。

Step 02 在选区内，按住鼠标左键并拖曳选区至图像下方颜色相近的位置，如图 4-41 所示，释放鼠标左键，即可完成修补操作，并取消选区。

图 4-40　创建一个选区

图 4-41　拖曳至合适位置

4.2.4　红眼工具

红眼工具

【效果对比】红眼工具是一个专用于修饰数码照片的工具，在 Photoshop 中常用于去除人物照片中的红眼。原图与效果对比如图 4-42 所示。

（a）

（b）

图 4-42　原图与效果对比

> **▶ 专家指点**
>
> Photoshop 中的红眼工具可以说是专门为去除照片中的红眼而设立的，但需要注意的是，这并不代表该工具只能对照片中的红眼进行处理，对于其他较为细小的东西，用户同样可以使用该工具来修改色彩。

下面介绍使用红眼工具一键去除人物红眼的操作方法。

Step 01　打开一幅素材图像，选取工具箱中的红眼工具，如图 4-43 所示。

Step 02　移动鼠标指针至图像编辑窗口中，在人物的眼睛上单击鼠标左键，即可去除红眼，如图 4-44 所示，用与上同样的操作方法去除另一只眼睛的红眼。

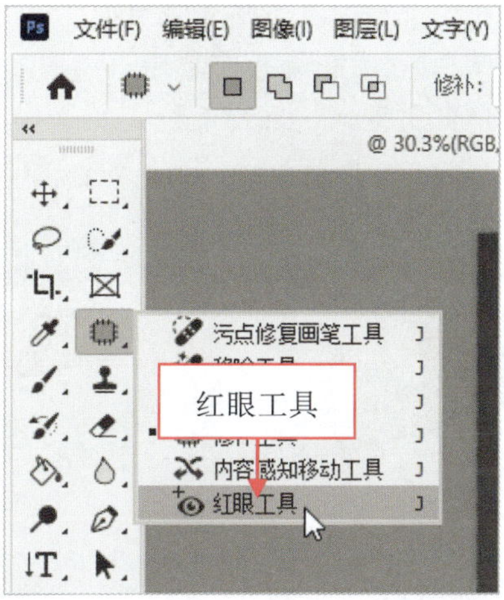

图 4-43 选取工具箱中的红眼工具

图 4-44 去除人物红眼

> ▶ 专家指点
>
> 在红眼工具属性栏中，各主要选项含义如下：
>
> - **“瞳孔大小”**：可以设置红眼图像的大小。
> - **“变暗量”**：设置去除红眼后瞳孔变暗的程度，数值越大则去除红眼后的瞳孔越暗。

本章小结

本章首先介绍了 Photoshop 中的智能化修图命令，主要包括“填充”命令、“生成式填充”命令、“内容识别填充”命令、“内容识别缩放”命令、“自动对齐图层”命令、“自动混合图层”命令以及“天空替换”命令；接着介绍了智能化修图工具，主要包括移除工具、污点修复画笔工具、修补工具以及红眼工具。通过本章的学习，读者能够掌握 Photoshop AI 智能修图的相关操作，让创作更高效，修图更精确，效果更出色。

课后实训

课后实训

鉴于本章知识的重要性，为了帮助读者更好地掌握所学知识，本节将通过上机习题帮助读者进行简单的知识回顾和补充。

【效果对比】使用 Photoshop 去除广告中的多余元素，原图和效果对比如图 4-45 所示。

Step 01 打开一幅素材图像，❶选取工具箱中的移除工具；❷在工具属性栏中设置“大小”为 80，如图 4-46 所示。

Step 02 移动鼠标指针至相应图像上，按住鼠标左键并拖曳，对图像进行涂抹，鼠标涂抹过的区域呈淡红色显示，如图 4-47 所示。

（a）　　　　　　（b）

图 4-45　原图和效果对比

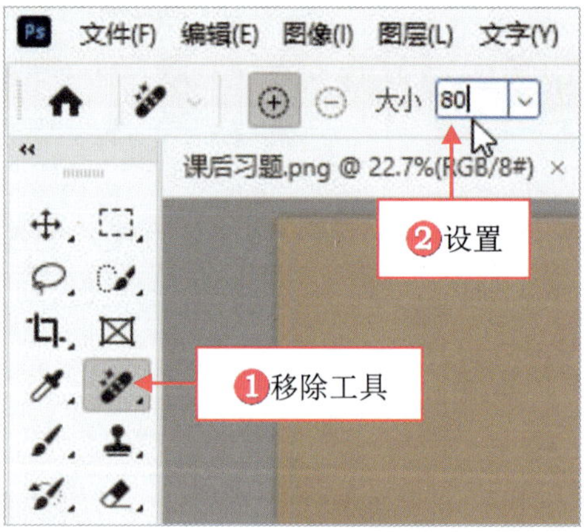

图 4-46　设置各参数

图 4-47　对图像进行涂抹

Step 03　释放鼠标左键，即可去除多余元素，效果如图 4-48 所示。

图 4-48　去除多余元素

第 5 章

Photoshop AI 智能调色

5

调色对许多用户来说，一直是比较头疼的问题，要手动逐个调整曝光度、色温、曲线等参数，不仅费时费力，还难以达到理想的色彩效果。其实，Photoshop AI 内置了许多好用且一键式的预设功能，可以极大地降低调色的难度，让图像的色彩效果立即提升一个档次。本章主要介绍用智能预设一键调色的操作方法。

本章重点

- 掌握自动校正图像的色彩的操作方法
- 熟知处理图像的影调与色调的操作方法
- 掌握自动调出人像色调的操作方法
- 掌握自动调出风景色调的操作方法
- 熟悉自动调出创意色调的操作方法
- 掌握自动调出黑白色调的操作方法
- 熟知自动调出电影色调的操作方法

5.1　自动校正图像的色彩

在 Photoshop 中，可以通过“自动色调”“自动颜色”以及“自动对比度”等命令来调整图像色彩。本节主要介绍自动校正图像色彩的操作方法。

5.1.1　自动调整图像色调

自动调整图像色调

【效果对比】“自动色调”命令可以将每个颜色通道中最亮和最暗的像素分别设置为白色和黑色，并将中间色调按比例重新分布。原图与效果对比如图 5-1 所示。

（a）　　（b）

图 5-1　原图与效果对比

下面介绍使用“自动色调”命令调整图像色调的操作方法。

Step 01　单击“文件”|“打开”命令，打开一幅素材图像，如图 5-2 所示。

Step 02　在菜单栏中，单击“图像”|“自动色调”命令，如图 5-3 所示，执行操作后，即可自动调整图像色调。

图 5-2　打开素材图像

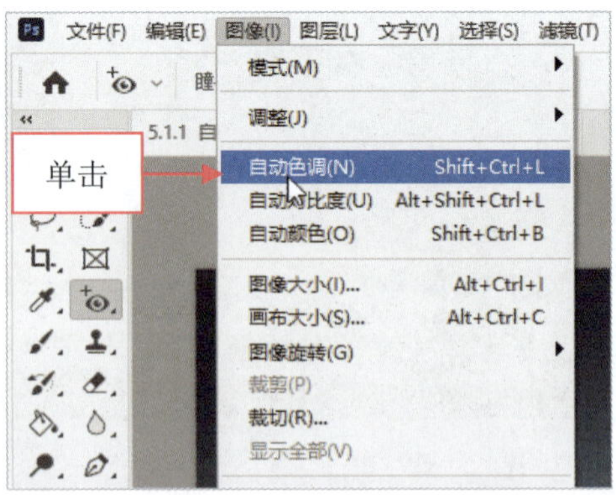

图 5-3　单击“自动色调”命令

▶ 专家指点

除了运用菜单栏中的“自动色调”命令调整图像外，用户还可以按【Shift + Ctrl + L】组合键，快速调用“自动色调”命令。

5.1.2　自动调整图像颜色

自动调整图像颜色

【效果对比】“自动颜色”命令可通过搜索实际图像来标识暗调、中间调和高光区域，并据此调整图像的对比度和颜色。原图与效果对比如图 5-4 所示。

（a）　　　　（b）

图 5-4　原图与效果对比

下面介绍运用“自动颜色”命令调整图像的操作方法。

Step 01　单击“文件”|“打开”命令，打开一幅素材图像，如图 5-5 所示。

Step 02　在菜单栏中，单击“图像”|“自动颜色”命令，如图 5-6 所示，执行操作后，即可自动调整图像颜色。

图 5-5　打开素材图像

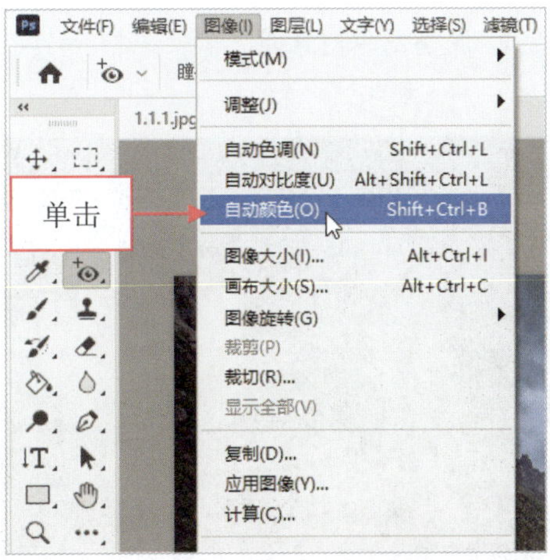

图 5-6　单击“自动颜色”命令

▶ 专家指点

“自动颜色”命令可以让系统自动对图像进行颜色校正。如果图像中有色偏或者饱和度过高的现象，均可以使用该命令进行自动调整。除了运用“自动颜色”命令调整图像偏色外，用户还可以按【Ctrl + Shift + B】组合键，快速调整图像偏色，以自动校正颜色。

默认情况下，“自动颜色”命令使用 RGB 参数值分别为 128、128、128 的灰色目标颜色来中和中间调，并将暗调和高光各像素剪切 0.5%。

5.1.3 自动调整图像对比度

自动调整图像对比度

【效果对比】“自动对比度”命令可以自动调整图像中颜色的总体对比度和混合颜色，它将图像中最亮和最暗的像素映射为白色和黑色，使高光显得更亮而暗调显得更暗。原图与效果对比如图 5-7 所示。

（a）　　　　（b）

图 5-7　原图与效果对比

下面介绍运用“自动对比度”命令调整图像的操作方法。

Step 01　单击“文件”|“打开”命令，打开一幅素材图像，如图 5-8 所示。

Step 02　在菜单栏中，单击“图像”|“自动对比度”命令，如图 5-9 所示，执行操作后，即可自动调整图像对比度。

图 5-8　打开素材图像

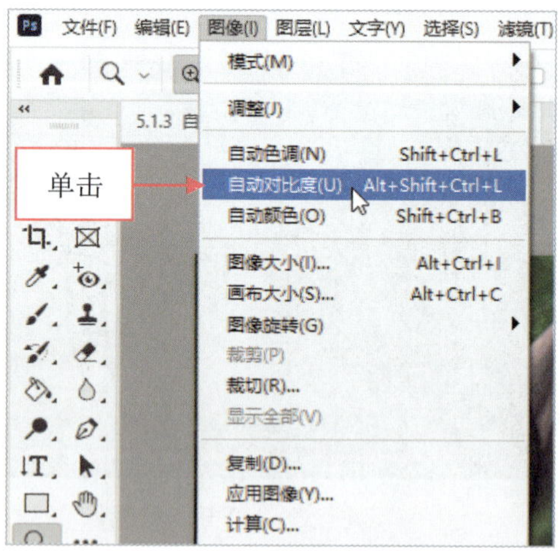

图 5-9　单击“自动对比度”命令

> **▶ 专家指点**
>
> 除了运用“自动对比度”命令调整图像对比度外，用户可以按【Alt + Shift + Ctrl + L】组合键，快速调整图像对比度。“自动对比度”命令会自动将图像最深的颜色加强为黑色，最亮的部分加强为白色，以增强图像的对比度，此命令对于连续调的图像效果相当明显，而对于单色或颜色不丰富的图像几乎不产生作用。

5.2 处理图像的影调与色调

在 Photoshop 中，调整图像影调与色彩的方法有很多种，本节主要向大家介绍使用“亮度/对比度”命令、“色相/饱和度”命令、“可选颜色”命令、“替换颜色”命令以及渐变工具来调整图像色彩的操作方法。

5.2.1 调整画面整体曝光

调整画面整体曝光

【效果对比】“亮度/对比度”命令主要对图像每个像素的亮度或对比度进行调整，此调整方式方便、快捷，但不适用于较为复杂的图像。原图与效果对比如图 5-10 所示。

（a） （b）

图 5-10 原图与效果对比

下面介绍运用“亮度/对比度”命令调整画面整体曝光的操作方法。

Step 01 打开一幅素材图像，在菜单栏中，单击“图像”|“调整”|“亮度/对比度”命令，如图 5-11 所示。

Step 02 弹出“亮度/对比度”对话框，设置“亮度”为 55、“对比度”为 35，如图 5-12 所示，单击“确定”按钮，即可调整图像亮度和对比度。

图 5-11 单击“亮度/对比度”命令

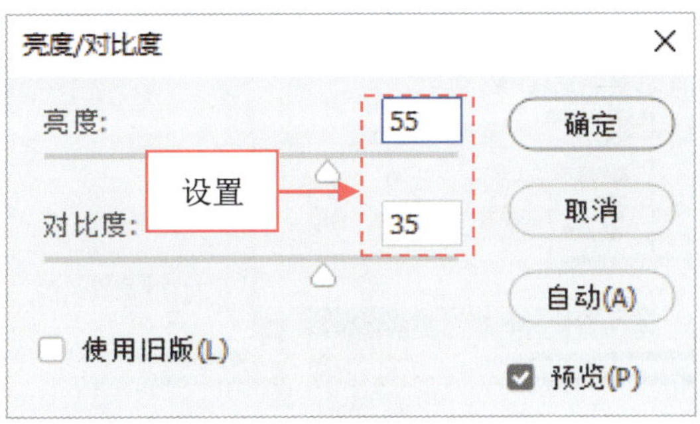

图 5-12 设置相应参数

> **▶ 专家指点**
>
> 在“亮度/对比度”对话框中，各主要选项含义如下。
>
> - **亮度：**用于调整图像的亮度。该值为正时增加图像亮度，为负时降低亮度。
> - **对比度：**用于调整图像的对比度。正值时增加图像对比度，负值时降低对比度。

5.2.2　调整色相与饱和度

调整色相与饱和度

【效果对比】“色相/饱和度”命令可以调整整幅图像或单个颜色分量的色相、饱和度和亮度值，还可以同步调整图像中所有的颜色。原图与效果对比如图 5-13 所示。

（a）　　（b）

图 5-13　原图与效果对比

下面介绍运用“色相/饱和度”命令调整图像色相与饱和度的操作方法。

Step 01　打开一幅素材图像，单击“图像”|“调整”|“色相/饱和度”命令，弹出“色相/饱和度”对话框，❶单击“预设”右侧的下拉按钮；❷在弹出的列表框中选择“自定”选项，如图 5-14 所示。

Step 02　在对话框中设置“色相”为 28、“饱和度”为 30，如图 5-15 所示，校正图像的颜色，使画面色彩更符合要求，单击“确定”按钮，即可调整图像色相。

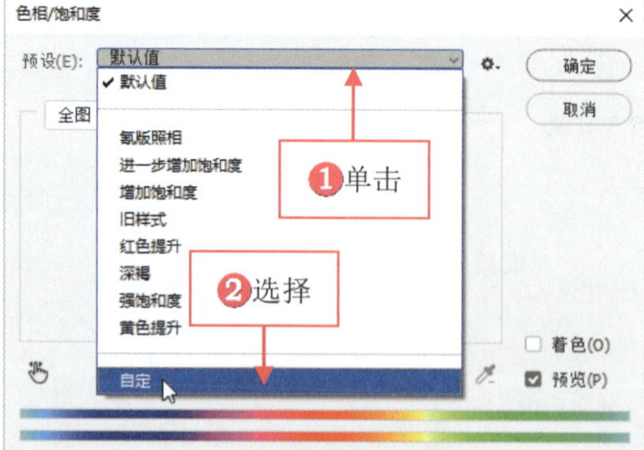

图 5-14　选择“自定”选项

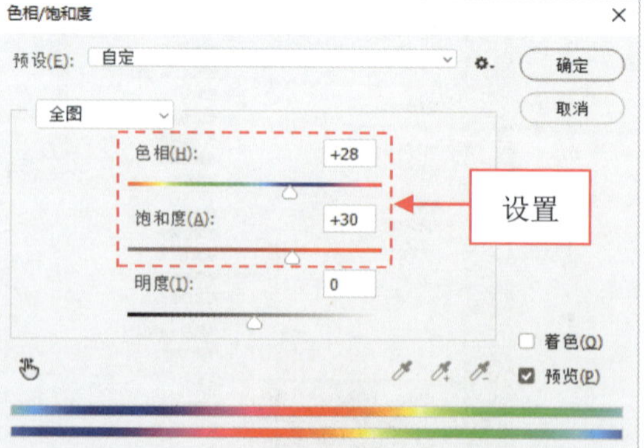

图 5-15　设置各参数

▶ 专家指点

除了运用“色相/饱和度”命令调整图像色相外，用户还可以按【Ctrl + U】组合键，快速调用“色相/饱和度”命令。在“色相/饱和度”对话框中，各主要选项含义如下。

- **预设**：在“预设”列表框中提供了 8 种色相/饱和度预设。
- **通道**：在“通道”列表框中可以选择全图、红色、黄色、绿色、青色、蓝色和洋红通道，进行色相、饱和度和明度的参数调整。
- **着色**：选中该复选框后，图像会整体偏向于单一的红色调。
- **在图像上单击并拖动可修改饱和度**：使用该工具在图像上单击设置取样点以后，向右拖曳鼠标可以增加图像的饱和度；向左拖曳鼠标可以降低图像的饱和度。

5.2.3　校正图像颜色平衡

校正图像颜色平衡

【效果对比】在处理图像时，由于光线、拍摄设备等因素，经常会使拍摄的图像颜色出现不平衡的情况，这时可以使用“可选颜色”命令校正图像色彩平衡。原图与效果对比如图 5-16 所示。

（a）　　（b）

图 5-16　原图与效果对比

下面介绍通过“可选颜色”命令校正图像颜色平衡的操作方法。

Step 01　打开一幅素材图像，单击“图像”|“调整”|“可选颜色”命令，如图 5-17 所示。

Step 02　弹出“可选颜色”对话框，❶选择“颜色”为“青色”；❷在下方设置“洋红”为-80%、“黄色”为 50%、“黑色”为 100%，如图 5-18 所示，单击“确定”按钮，即可校正图像颜色。

▶ 专家指点

在“可选颜色”对话框中，各主要选项含义如下。

- **预设**：可以使用系统预设的参数对图像进行调整。
- **颜色**：可以选择要改变的颜色，然后通过下方的“青色”“洋红”“黄色”“黑色”滑块对选择的颜色进行调整。
- **方法**：该选项区中包括“相对”和“绝对”两个单选按钮，选中“相对”单选按钮，表示设置的颜色为相对于原颜色的改变量，即在原颜色的基础上增加或减少某种印刷色的含量；选中“绝对”单选按钮，则直接将原颜色校正为设置的颜色。

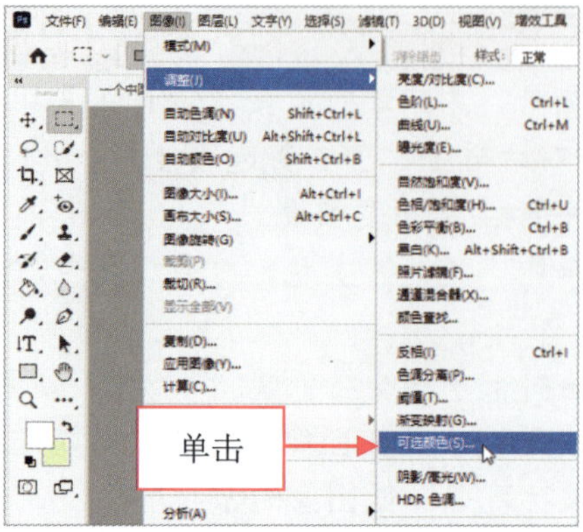

图 5-17　单击“可选颜色”命令

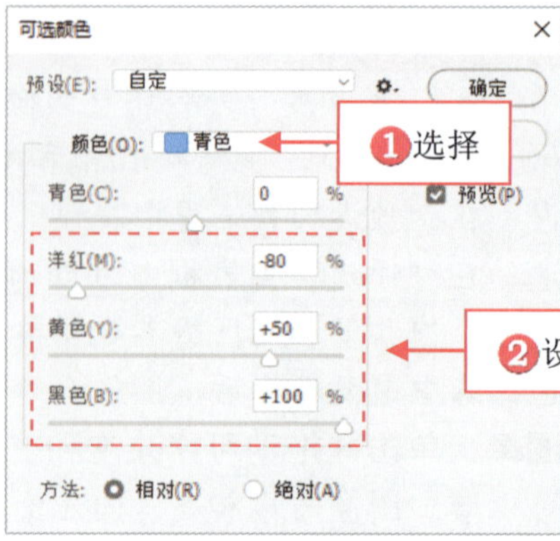

图 5-18　设置参数值

5.2.4　替换图像中的色彩

替换图像中的色彩

【效果对比】在拍摄景色照片时，经常因为受拍摄设备影响，导致图像和本身存在色差，这时可通过“替换颜色”命令替换图像颜色。原图与效果对比如图 5-19 所示。

（a）　　（b）

图 5-19　原图与效果对比

下面介绍通过“替换颜色”命令替换商品图像色彩的操作方法。

Step 01　打开一幅素材图像，单击“图像”|“调整”|“替换颜色”命令，如图 5-20 所示。

Step 02　弹出“替换颜色”对话框，①设置“颜色容差”为 20；②在图像中的适当位置重复单击，选中需要替换的颜色，如图 5-21 所示。

图 5-20　单击“替换颜色”命令

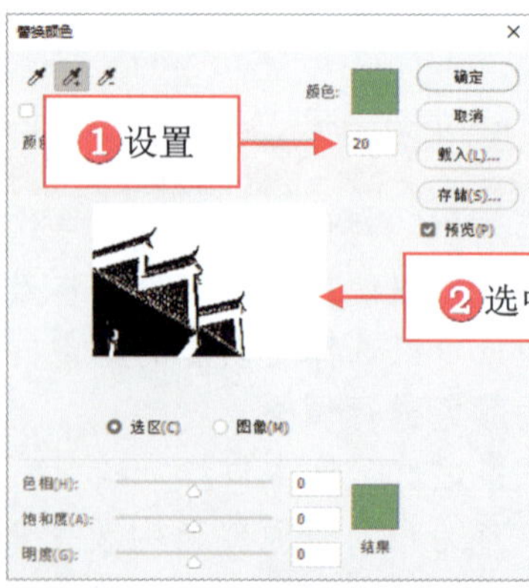

图 5-21　选中需要替换的颜色

Step 03 单击“结果”色块，弹出“拾色器（结果颜色）”对话框，设置 RGB 参数值分别为 150、255、230，如图 5-22 所示。

Step 04 单击“确定”按钮，返回“替换颜色”对话框，设置“色相”为 45、“饱和度”为 3、“明度”为 45，如图 5-23 所示，单击“确定”按钮，即可替换图像颜色。

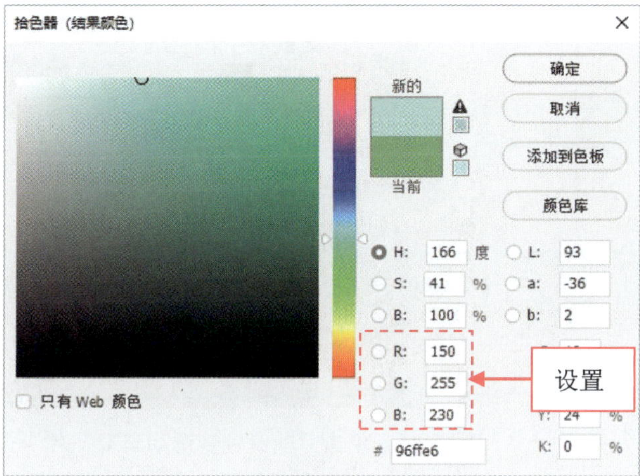

图 5-22　设置 RGB 参数值

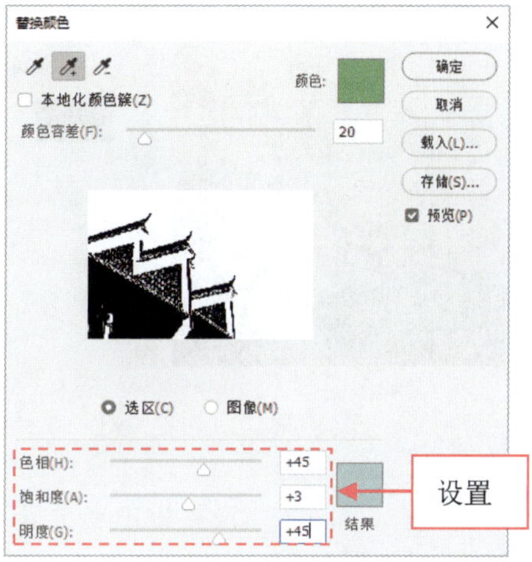

图 5-23　设置参数值

5.2.5　用渐变工具调出柔光效果

用渐变工具调出柔光效果

【效果对比】使用渐变工具可以调出柔光效果，让图像看起来更加柔和。原图与效果对比如图 5-24 所示。

（a）　　（b）

图 5-24　原图与效果对比

下面介绍使用渐变工具调出画面柔光效果的操作方法。

Step 01 打开一幅素材图像，单击工具箱底部的前景色色块，弹出“拾色器（前景色）”对话框，在其中设置 RGB 参数值分别为 255、180、113，如图 5-25 所示。

Step 02 单击“确定”按钮，设置前景色，在工具箱中选取渐变工具，①在工具属性栏中单击“选择和管理渐变预设”下拉按钮；②在弹出的下拉列表框中展开“基础”选项；③单击“前景色到透明渐变”色块，如图 5-26 所示。

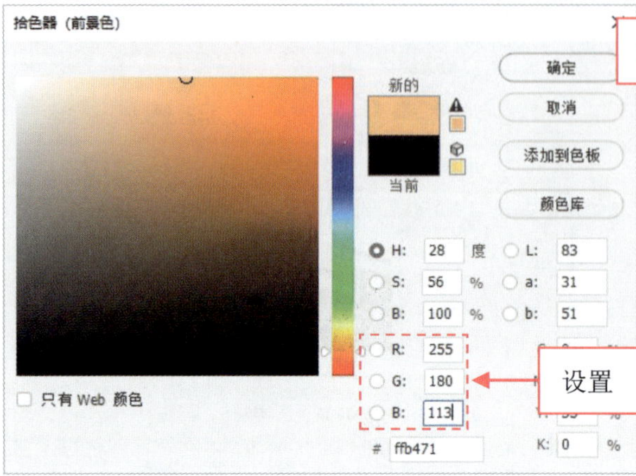

图 5-25　设置 RGB 参数值

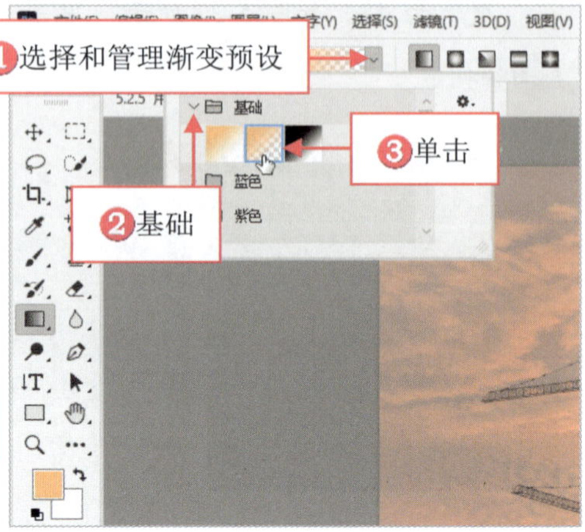

图 5-26　单击“前景色到透明渐变”色块

Step 03 将鼠标移至图像上，按住鼠标左键在适当位置进行拖曳，如图 5-27 所示，可以实时查看渐变效果。

Step 04 在“图层”面板中，自动生成“渐变填充 1”渐变图层，设置图层的混合模式为“强光”，如图 5-28 所示。

图 5-27　在适当位置进行拖曳

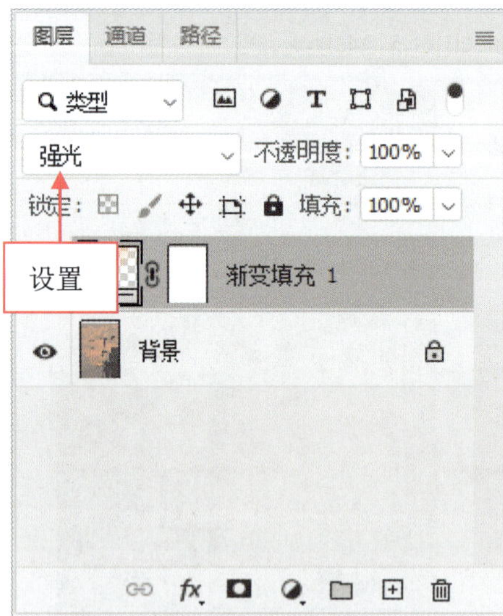

图 5-28　设置图层的混合模式

Step 05 执行操作后，即可以“强光”模式呈现出画面的柔光效果，如图 5-29 所示。

Step 06 选择“背景”图层，单击“图像”|“调整”|“亮度/对比度”命令，弹出“亮度/对比度”对话框，在其中设置“亮度”为-18、“对比度”为 65，如图 5-30 所示，单击“确定”按钮，查看图像的柔光效果。

图 5-29　调出画面的柔光效果

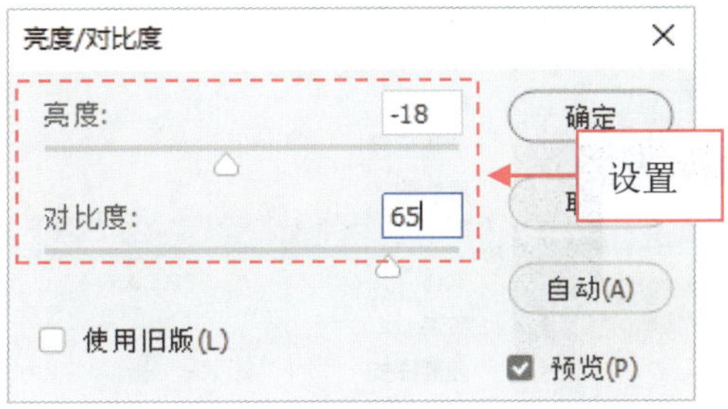

图 5-30　设置亮度与对比度参数

5.3　自动调出人像色调

在 Photoshop 的“调整”面板中，提供了 6 种人像色调风格，如“阳光”“暖色”“忧郁蓝”“经典黑白”“较暗”以及“明亮”等，选择相应的色调风格，即可调出迷人的照片效果。

5.3.1　调出暖色调效果

调出暖色调效果

【效果对比】在人像照片中适当增加一点暖色调，即可令色彩更为和谐、统一。“暖色”预设还可以平衡不同的光源变化，中和过冷的色温。原图与效果对比如图 5-31 所示。

（a）

（b）

图 5-31　原图与效果对比

下面介绍调出人像照片暖色调效果的操作方法。

Step 01 打开一幅素材图像，单击“窗口”|“调整”命令，如图 5-32 所示。

Step 02 执行操作后，展开“调整”面板，如图 5-33 所示。

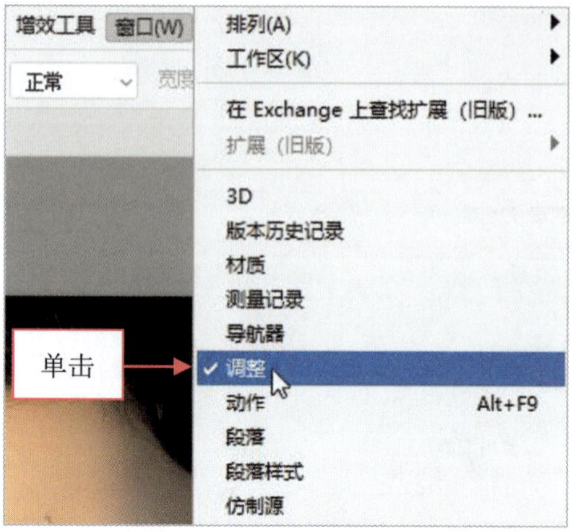

图 5-32 单击“调整”命令

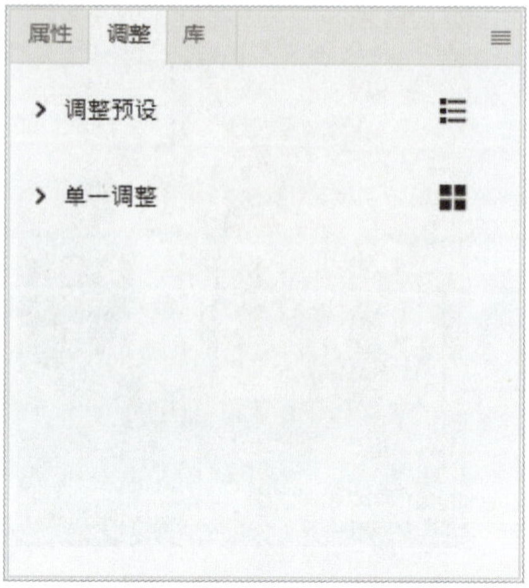

图 5-33 展开“调整”面板

▶ 专家指点

无论是批量调整多张照片的色彩风格，还是想给某张照片增加某种特定的氛围，利用 Photoshop 中的预设功能都能轻松实现。使用预设功能可以彻底解放用户的双手，只需要一键点击，就能自动调整好所有参数，快速达到理想的色彩效果，不用手动逐步调参数，让图像调色成为一件轻松、惬意的事。

Step 03 单击“调整预设”选项前面的箭头图标 >，❶展开“调整预设”选项区；❷在下方单击“更多”按钮，如图 5-34 所示。

Step 04 执行操作后，❶展开“人像”选项区；❷选择“暖色”选项，如图 5-35 所示，即可将人像照片调为暖色调的效果。

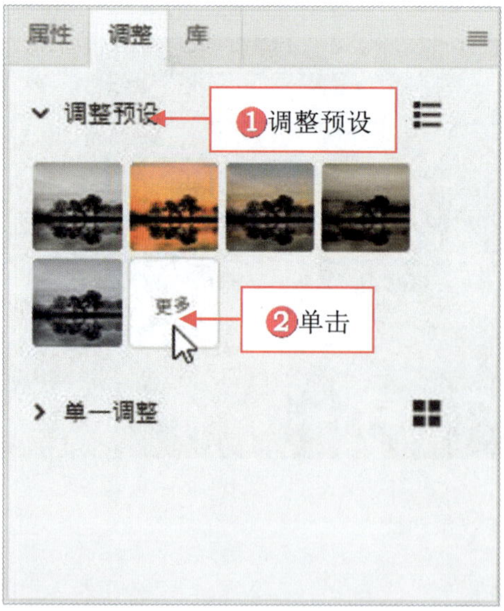

图 5-34 单击“更多”按钮

图 5-35 选择“暖色”选项

> **▶ 专家指点**
>
> 在“调整”面板中，单击“调整预设”右侧的按钮，即可更改面板的显示方式。默认情况下，以缩略图的方式显示每个预设模式，若单击按钮，即可以文本的形式显示每个预设模式，如图 5-36 所示。
>
> 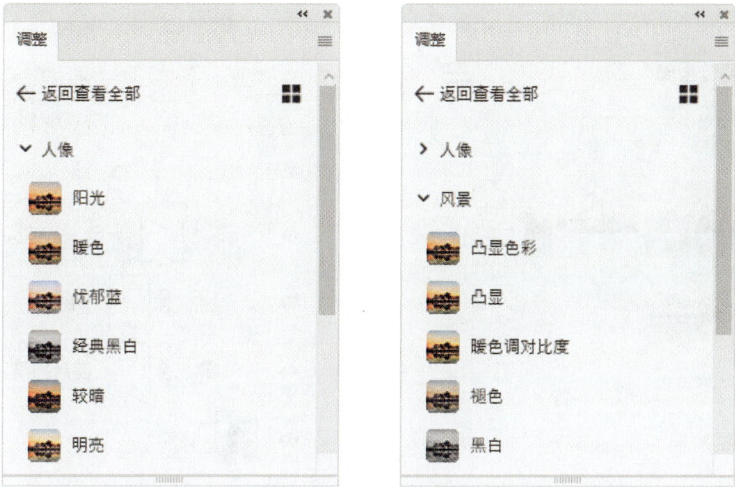
>
>
> （a）　　（b）
>
> 图 5-36　以文本的形式显示每个预设模式

5.3.2　调出忧郁蓝色调

调出忧郁蓝色调

【效果对比】“忧郁蓝”预设调出的图像色调主要以蓝色为主，蓝色通常与冷静、沉思等情感联系在一起，使画面呈现出一种深沉、忧郁的氛围。原图与效果对比如图 5-37 所示。

（a）　　（b）

图 5-37　原图与效果对比

下面介绍调出人像照片忧郁蓝色调的操作方法。

Step 01 打开一幅素材图像，在“调整”面板中，①展开“人像”选项区；②选择“忧郁蓝”选项，如图 5-38 所示。

Step 02 执行操作后，即可调出“忧郁蓝”风格的色调效果，在“图层”面板中可以查看新增的调整图层，如图 5-39 所示。

图 5-38　选择“忧郁蓝”选项

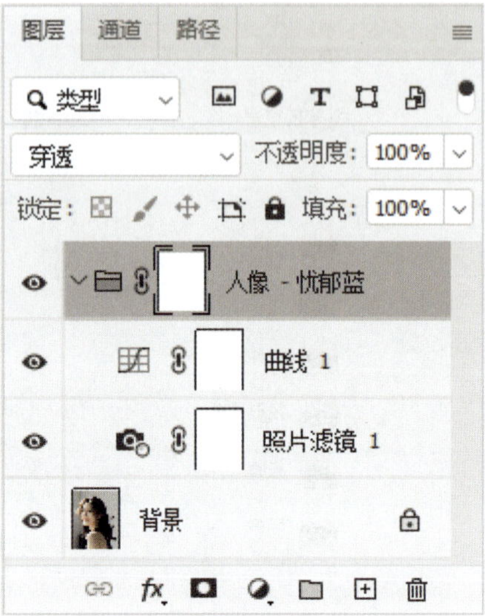

图 5-39　查看新增的调整图层

▶ 专家指点

如果需要连续进行调色操作，完成图像的处理后可以不必关闭“调整”面板，这样在打开下一幅素材图像时，会自动展开前面已经选择的预设类型，可以省去很多不必要的操作，提高后期处理的效率。

Step 03 选择“曲线 1”调整图层和“照片滤镜 1”调整图层，在“属性”面板中可以查看相应的调色参数，如图 5-40 所示。

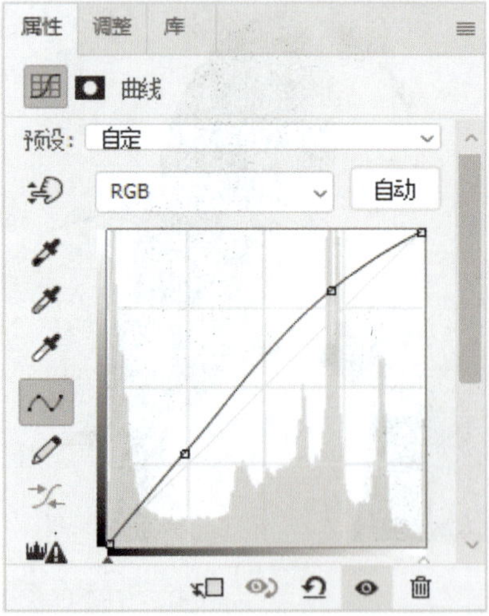

（a）

（b）

图 5-40　查看相应的调色参数

Step 04　在图像编辑窗口中，可以查看调整后的图像效果，从图 5-37 所示的效果图中可以看出，“忧郁蓝”预设色调能够带来冷静、安静的视觉感受。

> ▶ 专家指点
>
> 当为人像照片添加“忧郁蓝”风格的色调效果后，如果对该效果不是很满意，此时可以在“曲线 1”调整图层和“照片滤镜 1”调整图层中进行相应的参数设置，使画面色彩更加符合用户的需求。
>
> 另外，可以为同一张人像照片添加多种人像色调风格，如可以在同一张照片上添加“阳光”和“暖色”两种预设色调。

5.4　自动调出风景色调

在 Photoshop 的“调整”面板中，提供了 5 种风景色调风格，如“凸显色彩”“凸显”“暖色调对比度”“褪色”以及“黑白”等，选择相应的色调风格，即可调出好看的风景照片效果。

5.4.1　提升照片的饱和度

提升照片的饱和度

【效果对比】“凸显色彩”预设可以一键提升画面的饱和度，使图像的色彩变得更加生动、醒目。原图与效果对比如图 5-41 所示。

下面介绍提升风景照片饱和度的操作方法。

（a）　　（b）

图 5-41　原图与效果对比

Step 01　打开一幅素材图像，❶在“调整”面板中展开“风景”选项区；❷选择“凸显色彩”选项，如图 5-42 所示，增加画面的饱和度。

Step 02　在“风景”选项区中，选择“暖色调对比度”选项，如图 5-43 所示，进一步增强画面的暖色调效果。

> ▶ 专家指点
>
> “凸显色彩”预设色调主要是增强照片的自然饱和度，“暖色调对比度”预设色调主要是调整照片的色彩平衡与曲线参数。

图 5-42　选择“凸显色彩”选项

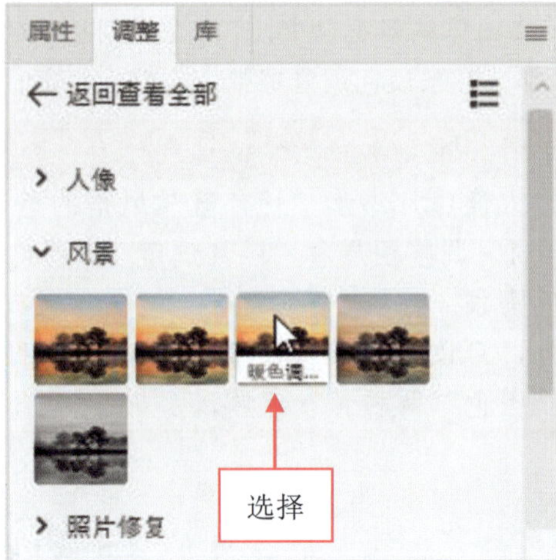

图 5-43　选择“暖色调对比度”选项

5.4.2　提升照片的层次感

提升照片的层次感

【效果对比】“凸显”预设可以一键提升图像的亮度和对比度，使景物的轮廓变得更加分明、锐利，同时暗部细节也更加突出，使画面更有层次感。原图与效果对比如图 5-44 所示。

（a）　　（b）

图 5-44　原图与效果对比

下面介绍提升风景照片层次感的操作方法。

Step 01 打开一幅素材图像，❶在“调整”面板中展开“风景”选项区；❷选择“凸显”选项，如图 5-45 所示，增加画面的亮度和对比度。

Step 02 展开“属性”面板，设置“亮度”为 23、“对比度”为 40，如图 5-46 所示，进一步增加画面的亮度和对比度，让画面的层次感更强。

> ▶ **专家指点**
>
> 在“亮度/对比度”属性面板中，各主要选项含义如下。
>
> - **亮度：**用于调整图像的亮度，该值为正时增加图像亮度，为负时降低亮度。
> - **对比度：**用于调整图像的对比度，正值时增加图像对比度，负值时降低对比度。

图 5-45　选择“凸显”选项

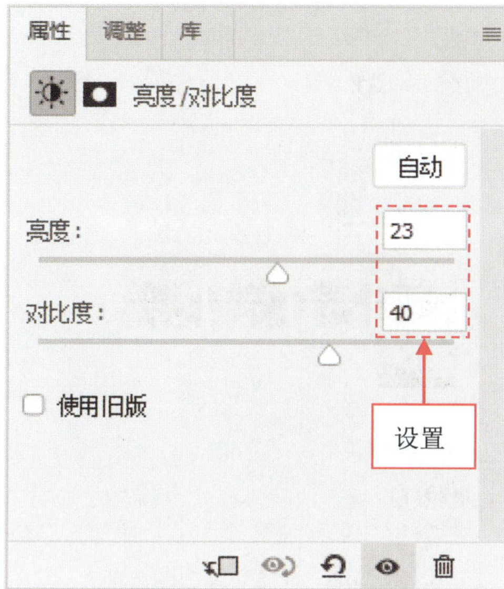

图 5-46　设置各参数

▶ 专家指点

在“属性”面板中，可以直接在右侧的数值框中输入相应的亮度与对比度数值，还可以拖曳下方的滑块进行参数设置。

5.4.3　制作照片的黑白效果

制作照片的黑白效果

【效果对比】“黑白”预设可以一键移除图像色彩，从而展现出一种仿佛历史照片的视觉效果，将其适当地使用到某些具有怀旧情绪的风景图像中，可以更好地烘托情感。原图与效果对比如图 5-47 所示。

（a）

（b）

图 5-47　原图与效果对比

下面介绍制作风景照片黑白效果的操作方法。

Step 01　打开一幅素材图像，①在“调整”面板中展开“风景”选项区；②选择“黑白”选项，如图 5-48 所示，即可去除画面中的多余色彩，只保留黑色和白色。

Step 02　在“图层”面板中，可以查看新增的调整图层，如图 5-49 所示。

图 5-48　选择“黑白”选项

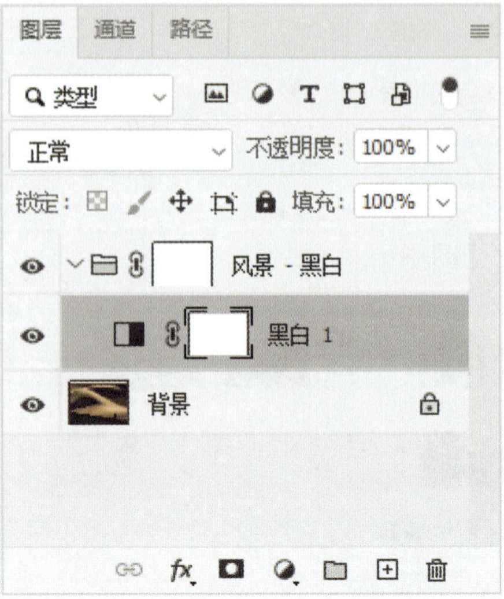

图 5-49　查看新增的调整图层

5.5　自动调出创意色调

在 Photoshop 的“调整”面板中，提供了 5 种创意色调风格，如“凸显色彩”“黑白底片”“暗色渐隐”“正片负冲”以及“深褐”等，选择相应的色调风格，即可自动调出创意效果。

5.5.1　为图像增加深邃的氛围

为图像增加深邃的氛围

【效果对比】“暗色渐隐”预设可以调出深邃的色调氛围，通过让亮部和暗部的颜色渐进融合，呈现出一种从明亮到黑暗的平稳过渡。原图与效果对比如图 5-50 所示。

（a）　　（b）

图 5-50　原图与效果对比

下面介绍为图像增加深邃氛围的操作方法。

Step 01　打开一幅素材图像，❶在“调整”面板中展开“创意”选项区；❷选择“暗色渐隐”选项，如图 5-51 所示，降低画面的亮度和饱和度，增强画面的对比度。

Step 02　在“图层”面板中，可以查看新增的调整图层，如图 5-52 所示，在画面中烘托出了一种神秘、深不可测的深邃氛围。

图 5-51　选择“暗色渐隐”选项

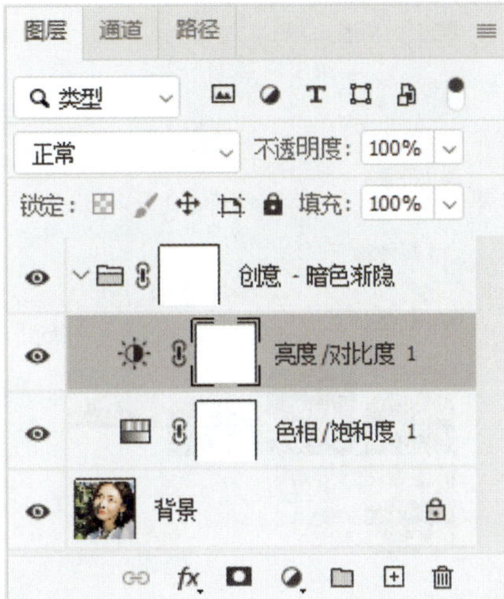

图 5-52　查看新增的调整图层

5.5.2　在图像中形成反差色

在图像中形成反差色

【效果对比】“正片负冲”预设提供了简单实用的反色调整手段，可以生成色彩反转的负片效果，不仅可以增强照片的视觉冲击力，也可以呈现出独特的氛围，常用于创意的人像或风光调色场景中。原图与效果对比如图 5-53 所示。

（a）　（b）

图 5-53　原图与效果对比

下面介绍在图像中形成反差色的操作方法。

Step 01 打开一幅素材图像，❶在“调整”面板中展开“创意”选项区；❷选择“正片负冲”选项，如图 5-54 所示，实现画面色彩的转换。

Step 02 在“图层”面板中，可以查看新增的调整图层，如图 5-55 所示，在画面中形成了创意十足的反差色。

图 5-54　选择“正片负冲”选项

图 5-55　查看新增的调整图层

5.5.3　调出老照片色调效果

调出老照片色调效果

【效果对比】使用“深褐”预设色调，可以自动校正图像的色彩平衡问题并进行去色处理，调出那种因年代久远而导致色偏的老照片色调效果。原图与效果对比如图 5-56 所示。

（a）　（b）

图 5-56　原图与效果对比

下面介绍调出老照片色调效果的操作方法。

Step 01 打开一幅素材图像，❶在“调整”面板中展开“照片修复”选项区；❷选择“深褐”选项，如图 5-57 所示，对画面进行去色处理，并修复画面的色彩平衡。

Step 02 在“图层”面板中，可以查看新增的调整图层，如图 5-58 所示，快速模拟出老照片的褪色效果，烘托出老旧的建筑氛围。

图 5-57　选择“深褐”选项

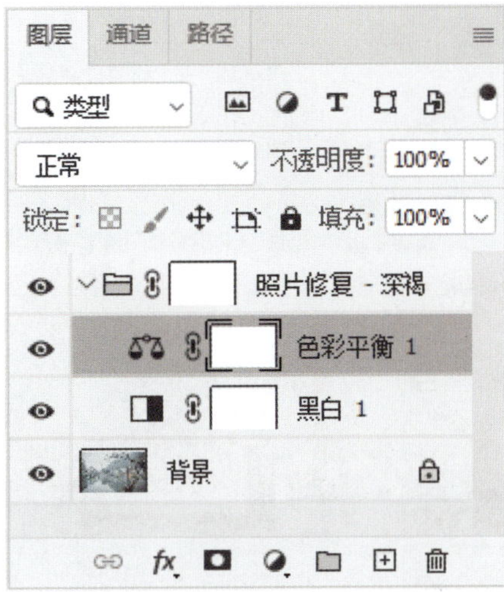

图 5-58　查看新增的调整图层

5.6　自动调出黑白色调

在 Photoshop 的“调整”面板中，提供了 5 种黑白色调风格，如“杂边”“浑厚”“中性”“冷色”以及“暖色”等，选择相应的色调风格，即可自动调出相应的黑白色调效果。

5.6.1　提升照片的层次感

提升照片的层次感

“浑厚”预设可以保留更多的阴影细节，同时增强中灰和高光的对比，从而让黑白图像呈现出更丰富的层次变化。原图与效果对比如图 5-59 所示。

（a）　　（b）

图 5-59　原图与效果对比

下面介绍提升黑白照片层次感的操作方法。

Step 01　打开一幅素材图像，❶在“调整”面板中展开“黑白”选项区；❷选择“浑厚”选项，如图 5-60 所示，将照片转换为黑白色调，并提升画面的对比度。

Step 02　在“图层”面板中，可以查看新增的调整图层，如图 5-61 所示。

图 5-60　选择“浑厚”选项

图 5-61　查看新增的调整图层

5.6.2　调出照片的高级质感

“冷色”预设提供了简单的方式来给黑白照片调出冷静、淡然的效果，该预设在保留亮部细节的同时，会加强阴影的深度与层次，可以用它来突出画面质感与主体轮廓。原图与效果对比如图 5-62 所示。

调出照片的高级质感

（a）

（b）

图 5-62　原图与效果对比

下面介绍调出人像照片高级质感的操作方法。

Step 01　打开一幅素材图像，❶在“调整”面板中展开“黑白”选项区；❷选择“冷色”选项，如图 5-63 所示，将照片转换为黑白色调的同时，还能够平衡画面中过于强烈的影调对比。

Step 02　在“图层”面板中，可以查看新增的调整图层，如图 5-64 所示，可以让画面展现出一种高级质感与气质。

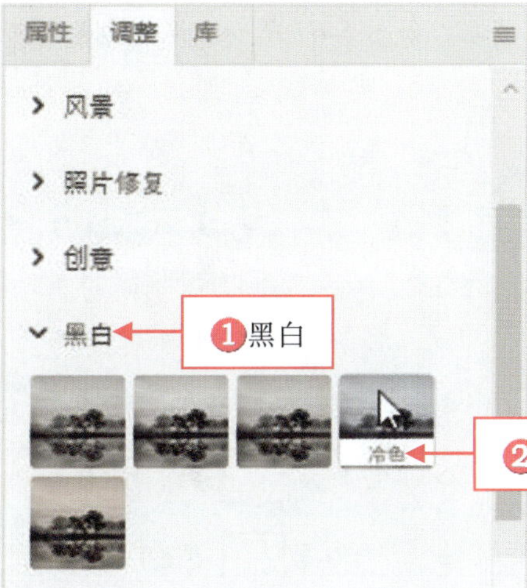

图 5-63 选择“冷色”选项

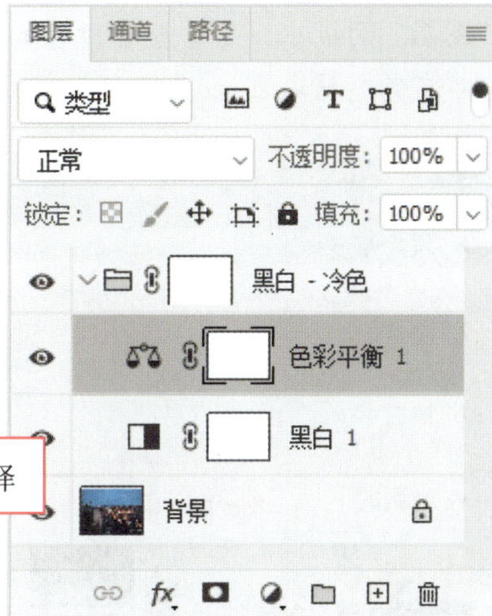

图 5-64 查看新增的调整图层

5.7 自动调出电影色调

在 Photoshop 的“调整”面板中，提供了 5 种电影色调风格，如“分离色调”“忧郁蓝”“黑暗之谜”“X 射线”以及“柔和棕褐色”等，选择相应的色调风格，即可自动调出电影色调。

5.7.1 调出分离色调

“分离色调”预设可以一键将 RGB 通道分离并翻转，产生一种强烈的色相分离效果，与老式电影中的色差风格类似，可以增强画面的情绪感染力。原图与效果对比如图 5-65 所示。

调出分离色调

（a）

（b）

图 5-65 原图与效果对比

下面介绍分离色调增强画面感染力的操作方法。

Step 01 打开一幅素材图像，❶在“调整”面板中展开“电影的”选项区；❷选择“分离色调”选项，如图 5-66 所示，调整画面的色彩平衡，并降低画面的亮度。

Step 02 在“图层”面板中，可以查看新增的调整图层，如图 5-67 所示，调出电影质感的色调风格，烘托怀旧的情绪氛围。

图 5-66　选择“分离色调”选项

图 5-67　查看新增的调整图层

5.7.2　调出黑暗色调

调出黑暗色调

“黑暗之谜”预设可以将画面颜色设置为黑白色，创造出一种朦胧而神秘的视觉效果，可以大大增强画面的电影质感。原图与效果对比如图 5-68 所示。

（a）　　（b）

图 5-68　原图与效果对比

> **▶ 专家指点**
>
> 为图像调出黑暗色调，可以营造出神秘、深沉的氛围，增强画面的视觉冲击力，使主题更加突出，同时也能引发观者的好奇心和探索欲。

下面介绍黑暗色调增强电影质感的操作方法。

Step 01 打开一幅素材图像，❶在“调整”面板中展开“电影的”选项区；❷选择“黑暗之谜”选项，如图 5-69 所示，系统会自动调用“黑白”调整图层对图像进行去色处理。

Step 02 在“图层”面板中，可以查看新增的调整图层，如图 5-70 所示。

图 5-69　选择“黑暗之谜”选项

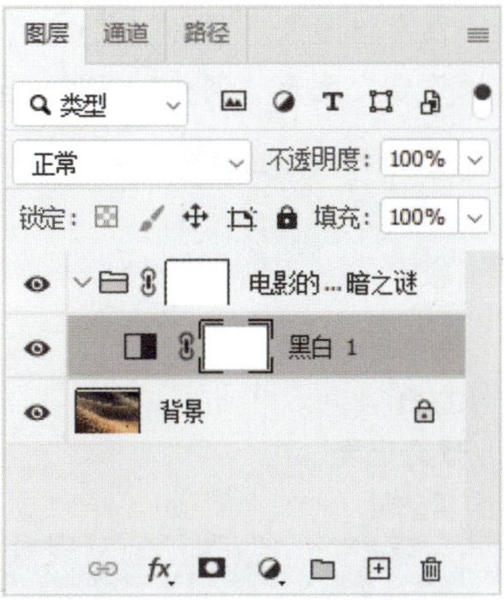

图 5-70　查看新增的调整图层

本章小结

本章首先介绍了自动校正图像色彩和处理图像影调与色调的方法；其次介绍了自动调出人像色调、自动调出风景色调和自动调出创意色调的方法；最后介绍了自动调出黑白色调和自动调出电影色调的方法。通过本章的学习，读者能够掌握运用 Photoshop AI 智能预设一键调色的操作方法。

课后实训

课后实训

鉴于本章知识的重要性，为了帮助读者更好地掌握所学知识，本节将通过上机习题帮助读者进行简单的知识回顾和补充。

【效果对比】使用 Photoshop 为一张人像照片调出忧郁蓝色调的效果。原图和效果对比如图 5-71 所示。

（a）　　（b）

图 5-71　原图和效果对比

Step 01 打开一幅素材图像，单击“窗口”|“调整”命令，如图 5-72 所示。

Step 02 执行操作后，展开“调整”面板，如图 5-73 所示。

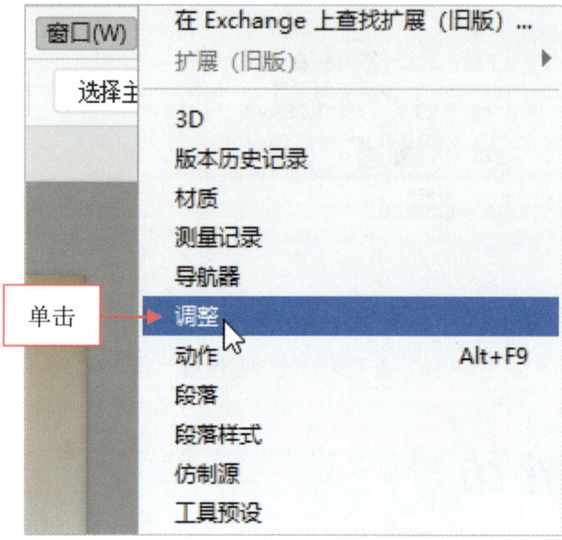

图 5-72　单击“调整”命令

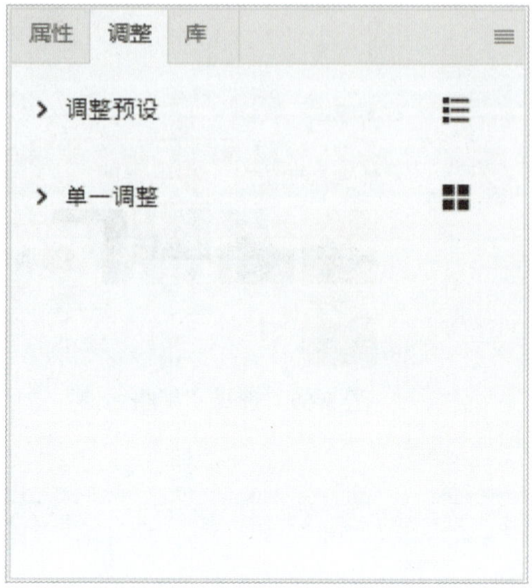

图 5-73　展开“调整”面板

Step 03 ❶展开“人像”选项区；❷选择“明亮”选项，如图 5-74 所示，提高画面的亮度。

Step 04 ❶展开“电影的”选项区；❷选择“忧郁蓝”选项，如图 5-75 所示，将人像照片调整为忧郁蓝的色调风格。

图 5-74　选择“明亮”选项

图 5-75　选择“忧郁蓝”选项

第 6 章

神经网络滤镜：Neural Filters

6

Neural Filters（神经网络滤镜）是 Photoshop 重点推出的 AI 修图技术，功能非常强大，它集合了智能肖像、皮肤平滑度、超级缩放、着色和风景混合等一系列的 AI 功能，可以帮助用户把复杂的修图工作简单化，大大提高了工作效率。本章主要介绍 Neural Filters 滤镜的使用技巧，帮助读者掌握更简单、更有创意的修图玩法。

本章重点

- 掌握人像类神经网络滤镜的操作方法
- 熟知创意类神经网络滤镜的操作方法
- 掌握颜色类神经网络滤镜的操作方法
- 熟悉摄影类神经网络滤镜的操作方法
- 掌握恢复类神经网络滤镜的操作方法

6.1 人像类神经网络滤镜

Neural Filters 是一个完整的滤镜库，它使用了由 Adobe Sensei 所提供的机器学习功能，可以大幅减少复杂的工作流程，在一些功能上可能只需单击几下即可。

在 Photoshop 中，目前一共包含了 12 款 Neural Filters 滤镜，可以让用户在几秒钟内尝试非破坏性、有生成力的滤镜并探索创意。其中，人像类神经网络滤镜主要包括“皮肤平滑度”“智能肖像”等功能。本节将介绍这些功能的使用技巧。

6.1.1 一键磨皮处理

一键磨皮处理

【效果对比】借助 Neural Filters 滤镜的“皮肤平滑度”功能，可以自动识别人物面部，并进行磨皮处理。原图与效果对比如图 6-1 所示。

（a） （b）

图 6-1 原图与效果对比

下面介绍一键磨皮的操作方法。

Step 01 打开一幅素材图像，单击“滤镜” | Neural Filters 命令，展开 Neural Filters 面板，在左侧的“所有筛选器”列表框中开启“皮肤平滑度”功能，如图 6-2 所示。

Step 02 在 Neural Filters 面板的右侧设置“模糊”为 100、“平滑度”为 50，如图 6-3 所示，消除脸部的瑕疵，让皮肤变得更加平滑。

▶ 专家指点

Neural Filters 滤镜中的“皮肤平滑度”功能可以简单地理解为智能磨皮，所得到效果和磨皮的效果类似，可以替代以前的一些磨皮插件。当用户开启“皮肤平滑度”功能后，滤镜就会先按照默认 50 的“模糊”参数来处理图像中的人物皮肤部分，即使是 50 的“模糊”参数，处理效果也是非常明显的。

图 6-2　开启“皮肤平滑度”功能

图 6-3　设置各参数

▶ 专家指点

在 Neural Filters 面板中开启“皮肤平滑度”功能后，右侧各选项含义如下。

- **模糊：**可以对人物的面部进行模糊处理，数值越大面部模糊度越高，反之亦然。
- **平滑度：**可以对人物的面部进行平滑度处理，数值越大面部越光滑，反之亦然。

Step 03　单击“确定”按钮，即可完成人脸的磨皮处理，使人物更加漂亮。

6.1.2　智能修图细节

智能修图细节

【效果对比】借助 Neural Filters 滤镜的“智能肖像”功能，用户可以通过几个简单的步骤简化复杂的肖像编辑工作流程，如改变人物的面部年龄、发量、眼睛方向、表情、面部朝向、光线方向等，还能消除面部的瑕疵，修改画面细节。原图与效果对比如图 6-4 所示。

（a）　　（b）

图 6-4　原图与效果对比

下面介绍智能修改人物肖像细节的操作方法。

Step 01　打开一幅素材图像，单击“滤镜”｜Neural Filters 命令，展开 Neural Filters 面板，在左侧的“所有筛选器”列表框中开启“智能肖像”功能，如图 6-5 所示。

图 6-5　开启“智能肖像”功能

▶ 专家指点

“智能肖像”功能可以通过生成新特征，如表情、面部、光线和头发等细节来创造性地调整人物肖像图。“智能肖像”功能的使用有两点需要注意。

（1）Photoshop 软件必须处于联网状态，因为其中的创造性的操作都是通过云端进行处理的，也就是这个滤镜的操作不是在软件中进行的。

（2）照片中最好能够明显地识别出人物的头像。除了增加头发外，用户还可以将表情调整为笑容等其他表情，这些都可以通过云处理来生成新的表情，如图 6-6 所示。

（a）　　（b）

图 6-6　生成不同的表情

Step 02 在右侧的“特色”选项区中，设置“发量”为 50，如图 6-7 所示，可以稍微增加人物的发量，单击“确定”按钮，即可完成智能肖像的处理。

图 6-7　设置“发量”为 50

▶ 专家指点

很多人使用 Neural Filters 滤镜时会碰到这样的问题，那就是打开 Neural Filters 面板后所有功能全为灰色，不能使用，在调整参数的面板中也提示不可使用，要求下载后才能使用，但是“下载”按钮也是灰色，无法下载其中的功能。

这是因为用户没有登录 Adobe 账号的原因，从 Adobe Photoshop 2021 开始要使用 Neural Filters 滤镜，就必须登录 Adobe 账号才能正常使用。用户可以单击“帮助”|“登录”命令，即可弹出登录窗口，登录成功后可以在帮助里面看到登录后的 Adobe 账号，如图 6-8 所示。登录 Adobe 账号后，即可看到 Neural Filters 滤镜中的“下载”按钮变为能单击的状态了。

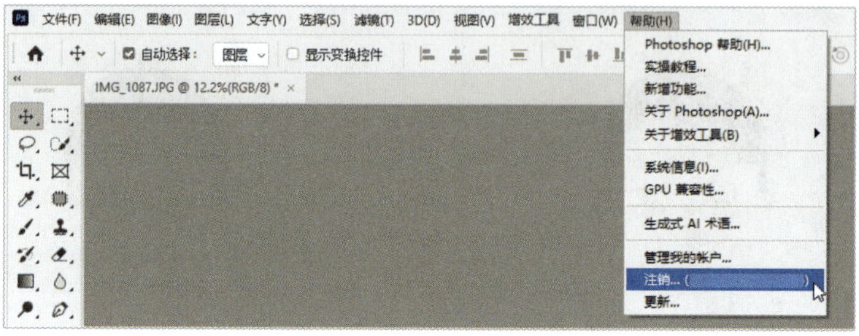

图 6-8　在“帮助”菜单中可以看到登录后的 Adobe 账号

6.2　创意类神经网络滤镜

Neural Filters 是 Photoshop 中一项备受瞩目的 AI 功能，它借助深度学习技术，提供了一系列的创意神经网络滤镜，为摄影师和设计师们带来了全新的图片处理方式。其中，创意类神经网络滤镜，主要包括“风景混合器”“样式转换”“背景创建器”等功能，这些功能可以轻松实现梦幻般的景观效果、风格迁移以及背景替换等操作。

6.2.1　创意滤镜换天

创意滤镜换天

【效果对比】借助 Neural Filters 滤镜中的“风景合成器”功能，可以自动替换照片中的天空，并调整为与前景元素匹配的色调。原图与效果对比如图 6-9 所示。

（a）　　（b）

图 6-9　原图与效果对比

下面介绍使用创意滤镜一键换天的操作方法。

Step 01 打开一幅素材图像，单击“滤镜”｜Neural Filters 命令，展开 Neural Filters 面板，在左侧的“所有筛选器”列表框中开启“风景混合器”功能，如图 6-10 所示。

Step 02 在右侧的“预设”选项卡中，选择相应的预设效果，如图 6-11 示，单击“确定”按钮，即可完成天空的替换处理。

图 6-10　开启“风景混合器”功能

图 6-11　选择相应的预设效果

6.2.2　改变照片风格

改变照片风格

【效果对比】借助 Neural Filters 滤镜的“样式转换”功能，可以将选定的艺术风格应用于图像中，从而激发新的创意，并为图像赋予新的样式效果。原图与效果对比如图 6-12 所示。

（a）　　（b）

图 6-12　原图与效果对比

下面介绍改变风景照片艺术风格的操作方法。

Step 01 打开一幅素材图像，单击“滤镜”｜Neural Filters 命令，展开 Neural Filters 面板，在左侧的“所有筛选器”列表框中开启“样式转换”功能，如图 6-13 所示。

图 6-13　开启“样式转换”功能

Step 02 在右侧的“预设”选项卡中选择相应的艺术家风格，如图 6-14 所示，系统将自动转移参考图像的颜色、纹理和风格，单击“确定”按钮，即可应用特定艺术家的风格。

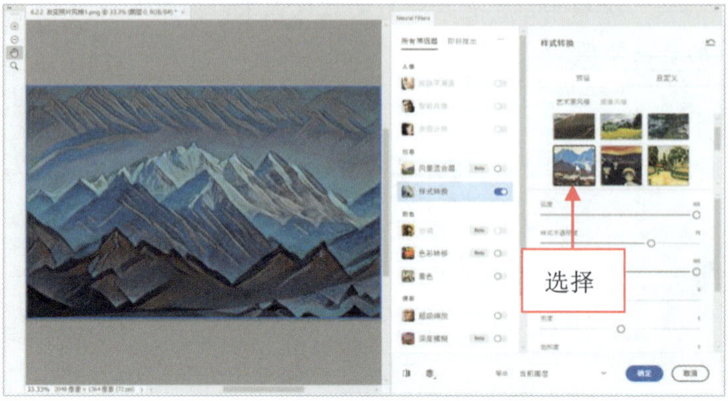

图 6-14　选择相应的艺术家风格

6.3　颜色类神经网络滤镜

使用 Neural Filters 滤镜可以对图像的颜色进行 AI 调整，在颜色类神经网络滤镜中，主要包括“协调”“色彩转移”“着色”等功能，这些功能可以重新调整素材图像的颜色，或者为素材图像重新着色，提升图像后期处理的效率。

6.3.1　图像颜色融合

图像颜色融合

【效果对比】借助 Neural Filters 滤镜的“协调”功能，可以自动融合两个图层中的图像颜色与亮度，让合成后的画面影调更加和谐、效果更加完美。原图与效果对比如图 6-15 所示。

（a）　　（b）

图 6-15　原图与效果对比

下面介绍完美融合两个图像的颜色的操作方法。

Step 01 打开一幅素材图像，在“图层”面板中选择“图层 1”图层，单击“滤镜”｜Neural Filters 命令，展开 Neural Filters 面板，在“所有筛选器”列表框中开启“协调”功能，如图 6-16 所示。

Step 02 在右侧的“参考图像”下方的列表框中选择“背景”选项，如图 6-17 所示，即可根据参考图像所在的图层自动调整“图层 1”图层的色彩平衡。单击“确定”按钮，即可让两个图层中的画面影调变得更加协调。

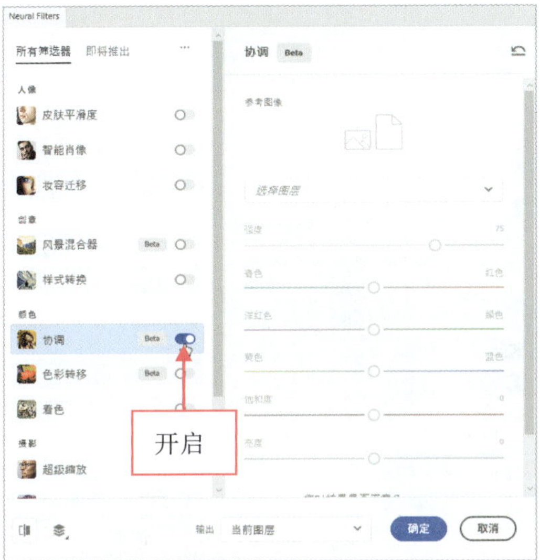

图 6-16　开启“协调”功能

图 6-17　选择“背景”选项

> **▶ 专家指点**
>
> 在 Neural Filters 面板中开启“协调”功能后，在右侧选择“背景”选项，如果用户对于 Photoshop 自动调色的效果不满意，此时可以在下方设置“青色”“洋红色”“黄色”“饱和度”以及“亮度”参数值，直至调出满意的图像色彩。

6.3.2　色彩转移调色

色彩转移调色

【效果对比】借助 Neural Filters 滤镜的“色彩转移”功能，可以创造性地将色调风格从一张图片转移到另一张图片上。原图与效果对比如图 6-18 所示。

（a）　　　　（b）

图 6-18　原图与效果对比

下面介绍色彩转移改变图像色调的操作方法。

Step 01 打开一幅素材图像，单击“滤镜”｜Neural Filters 命令，展开 Neural Filters 面板，在左侧的“所有筛选器”列表框中开启“色彩转移”功能，如图 6-19 所示。

Step 02 在右侧切换至“自定义”选项卡，在“选择图像”列表框中选择“从计算机中选择图像”选项，如图 6-20 所示。

图 6-19　开启“色彩转移”功能

图 6-20　选择“从计算机中选择图像”选项

Step 03 弹出“打开”对话框，选择相应的素材图像，如图 6-21 所示。

Step 04 单击“使用此图像”按钮，即可上传参考图像，如图 6-22 所示，并将参考图像中的色调风格应用到原素材图像中，单击“确定”按钮，即可实现图片色彩的转移。

图 6-21　选择相应的素材图像

图 6-22　上传参考图像

6.3.3　黑白图像上色

【效果对比】借助 Neural Filters 滤镜的“着色”功能，可以自动为黑白照片上色。原图与效果对比如图 6-23 所示。

黑白图像上色

（a）　　　　　　（b）

图 6-23　原图与效果对比

下面介绍为黑白图像自动上色的操作方法。

Step 01 打开一幅素材图像，单击“滤镜”｜Neural Filters 命令，展开 Neural Filters 面板，在左侧的“所有筛选器”列表框中开启“着色”功能，如图 6-24 所示。

Step 02 在面板下方拖曳滑块设置“饱和度”为 30，如图 6-25 所示，单击“确定”按钮，即可为黑白图像上色。

图 6-24　开启“着色”功能

图 6-25　设置各参数

6.4　摄影类神经网络滤镜

在 Neural Filters 滤镜中，有一个“摄影”功能模块，其中包括“超级缩放”和“深度模糊”两个功能，可以对图像进行缩放和模糊处理。本节主要介绍这些 AI 摄影的扩展功能，帮助读者轻松调出喜欢的摄影作品。

6.4.1 摄影作品无损放大

摄影作品无损放大

【效果对比】借助 Neural Filters 滤镜的“超级缩放”功能，可以放大图像，然后再添加细节以补偿损失的分辨率，从而达到无损放大图像的效果。原图与效果对比如图 6-26 所示。

（a）　　（b）

图 6-26　原图与效果对比

下面介绍无损放大摄影作品尺寸的操作方法。

Step 01 打开一幅素材图像，单击“滤镜”｜Neural Filters 命令，展开 Neural Filters 面板，在左侧的“所有筛选器”列表框中开启“超级缩放”功能，如图 6-27 所示。

Step 02 在右侧的预览图下方单击放大按钮，如图 6-28 所示，即可将图像放大至原图的两倍，单击“确定”按钮确认操作。

图 6-27　开启“超级缩放”功能

图 6-28　单击放大按钮

Step 03 Photoshop 会生成一个新的大图，从左下角的状态栏中可以看到图像的尺寸和分辨率都变大了，如图 6-29 所示。

图 6-29　新的大图

6.4.2　调整作品景深效果

调整作品景深效果

【效果对比】 借助 Neural Filters 滤镜的“深度模糊”功能，可以在图像中创建环境深度以模糊前景或背景对象，从而实现画面景深的调整。原图与效果对比如图 6-30 所示。

下面介绍调整摄影作品景深效果的操作方法。

Step 01 打开一幅素材图像，单击“滤镜”｜Neural Filters 命令，展开 Neural Filters 面板，在左侧的“所有筛选器”列表框中开启“深度模糊”功能，如图 6-31 所示。

（a）　　　　（b）

图 6-30　原图与效果对比

Step 02 在右侧的“焦点”选项区中，选中“焦点主体”复选框，如图 6-32 所示，确保主体对象不会变模糊，然后单击“确定”按钮，即可虚化画面背景。

图 6-31　开启“深度模糊”功能

图 6-32　选中“焦点主体”复选框

6.5　恢复类神经网络滤镜

在 Neural Filters 滤镜中，有一个“恢复”功能模块，其中包括“移除 JPEG 伪影”和“照片恢复”两个功能，可以快速移除 JPEG 图像产生的伪影，并对照片进行适当恢复处理。本节主要介绍这些 AI 图像恢复功能的应用。

6.5.1　AI 修复老照片

AI 修复老照片

【效果对比】借助 Neural Filters 滤镜的“照片恢复”功能，可以借助强大的 AI 技术快速修复老照片，提高对比度、增强细节、消除划痕等。将此功能与“着色”功能相结合使用，可以进一步增强照片效果。原图与效果对比如图 6-33 所示。

（a）　　（b）

图 6-33　原图与效果对比

下面介绍用 AI 技术快速修复老照片的操作方法。

Step 01 打开一幅素材图像，单击“滤镜”｜Neural Filters 命令，展开 Neural Filters 面板，在左侧的“所有筛选器”列表框中开启“照片恢复”功能，如图 6-34 所示。

Step 02 在右侧展开“调整”选项区，设置“降噪”为 17，如图 6-35 所示，减少画面中的噪点。

图 6-34　开启“照片恢复”功能

图 6-35　设置“降噪”为 17

Step 03 执行操作后，即可修复老照片，效果如图 6-36 所示。

Step 04 在 Neural Filters 面板左侧的“所有筛选器”列表框中，开启“着色”功能，如图 6-37 所示。

图 6-36　修复老照片

图 6-37　开启“着色”功能

Step 05 执行操作后，即可自动给老照片上色，效果如图 6-38 所示。

Step 06 在右侧展开“调整”选项区，设置“颜色伪影消除”为 30，如图 6-39 所示，增强图像的细节质量，单击“确定”按钮，即可完成老照片的修复操作。

图 6-38　自动给老照片上色

图 6-39　设置相应参数

6.5.2　移除 JPEG 伪影

移除 JPEG 伪影

【效果对比】借助 Neural Filters 滤镜的“移除 JPEG 伪影”功能，可以移除压缩 JPEG 图像时产生的伪影，提升图像的画质。原图与效果对比如图 6-40 所示。

（a）　　（b）

图 6-40　原图与效果对比

下面介绍移除 JPEG 伪影提升画质的操作方法。

Step 01 打开一幅素材图像，单击“滤镜” | Neural Filters 命令，展开 Neural Filters 面板，在左侧的“所有筛选器”列表框中开启“移除 JPEG 伪影”功能，如图 6-41 所示。

Step 02 在右侧的“强度”列表框中选择“高”选项，如图 6-42 所示，可以增加图像的质量和压缩比例，减轻伪影的产生。伪影是指在压缩 JPEG 图像时出现的一种视觉失真效应，通常表现为图像边缘处的不规则形状（锯齿状或马赛克状）。

Step 03　单击“确定”按钮，即可提升图像的画质。

图 6-41　开启“移除 JPEG 伪影”功能

图 6-42　选择“高”选项

6.5.3　转移人物的妆容

转移人物的妆容

【效果对比】借助 Neural Filters 滤镜的“妆容迁移”功能，可以将人物眼部和嘴部的妆容风格应用到其他人物图像中。原图与效果对比如图 6-43 所示。

（a）　　（b）

图 6-43　原图与效果对比

下面介绍一键转移人物妆容效果的操作方法。

Step 01　打开一幅素材图像，单击“滤镜”|Neural Filters 命令，展开 Neural Filters 面板，在左侧的“所有筛选器”列表框中开启“妆容迁移”功能，如图 6-44 所示。

Step 02　在右侧的“参考图像”选项区中，在“选择图像”列表框中选择“从计算机中选择图像”选项，如图 6-45 所示。

Step 03　弹出“打开”对话框，选择相应的图像素材，效果如图 6-46 所示。

Step 04 单击“使用此图像”按钮，即可上传参考图像，如图 6-47 所示，并将参考图像中的人物妆容应用到素材图像中，单击“确定”按钮，即可改变人物的妆容。

图 6-44　开启“妆容迁移”功能

图 6-45　选择“从计算机中选择图像”选项

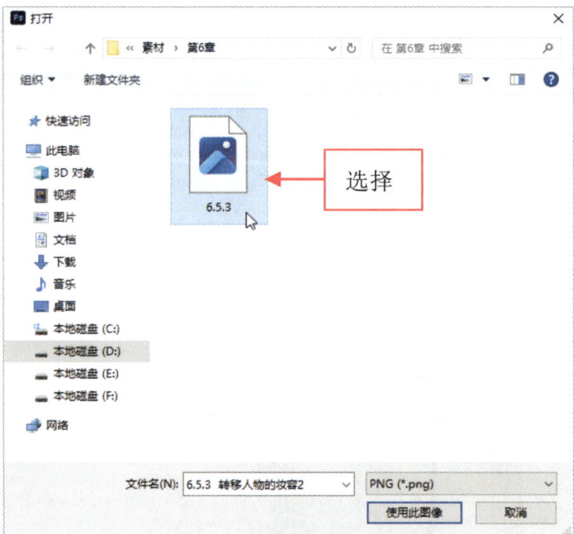

图 6-46　选择相应的图像素材

图 6-47　上传参考图像

本章小结

本章首先介绍了人像类和创意类的神经网络滤镜；其次介绍了颜色类和摄影类的神经网络滤镜；最后介绍了恢复类神经网络滤镜，包括 AI 修复老照片、基础 JPEG 伪影以及转移人物的妆容。通过本章的学习，读者能够掌握 Neural Filters 滤镜的使用技巧，掌握更简单、更有创意的修图方法。

课后实训

课后实训

鉴于本章知识的重要性，为了帮助读者更好地掌握所学知识，本节将通过上机习题帮助读者进行简单的知识回顾和补充。

【效果对比】使用 Neural Filters 滤镜为黑白风景照片自动上色。素材和效果对比如图 6-48 所示。

（a）　　（b）

图 6-48　素材和效果对比

Step 01　打开一幅素材图像，单击“滤镜” | Neural Filters 命令，展开 Neural Filters 面板，在左侧的“所有筛选器”列表框中开启“着色”功能，如图 6-49 所示。

Step 02　在面板下方拖曳滑块设置“饱和度”为 8、“青色/红色”为 6、“洋红色/绿色”为 9，如图 6-50 所示。

图 6-49　开启“着色”功能

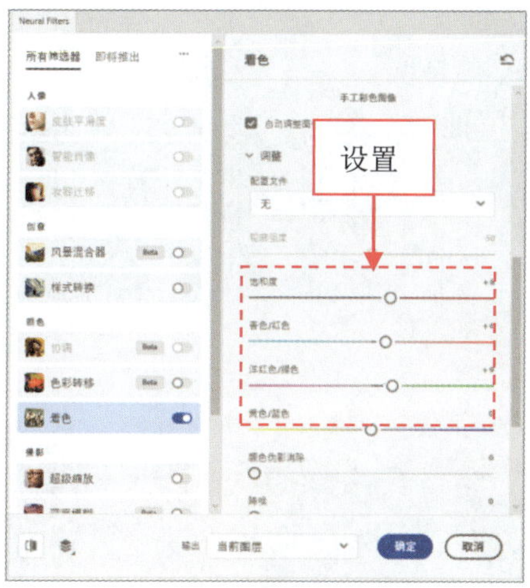

图 6-50　设置各参数

Step 03　单击“确定”按钮，即可为黑白图像上色。

第 7 章
高级处理工具：Camera Raw

7

Camera Raw 是由 Adobe 公司开发的一款图像处理软件，它是 Photoshop AI 软件中的一个插件，用于处理照片的原始图像数据，通常是指未经过任何压缩或处理的照片。在 Adobe Photoshop 2024 版中，Camera Raw 也有一些 AI 图像处理功能。本章将详细讲解 Camera Raw 的一些功能。

本章重点

- 掌握运用预设实现图像自动调色的操作方法
- 熟知创建自动蒙版编辑照片的操作方法
- 了解其他实用的 AI 调整功能的操作方法

7.1　运用预设实现图像自动调色

在 Camera Raw 中，通过强大的 AI 预设功能可以一键智能调整图像的色彩，如“自适应：人像”“自适应：天空”“自适应：主体”“人像：深色皮肤”以及“黑白”滤镜功能等。本节主要介绍运用预设实现图像自动调色的操作方法。

7.1.1　自适应人像调色

自适应人像调色

【效果对比】在 Camera Raw 的“自适应：人像”滤镜组中，包含多种不同的人像预设色调，如魅力人像、精美人像、美白牙齿以及顺滑头发等，不同的预设色调给人的视觉感受也不相同。本实例主要增强人物鼻子、嘴巴以及下巴的立体感。原图与效果对比如图 7-1 所示。

（a）　　（b）

图 7-1　原图与效果对比

下面介绍自适应人像照片调色的操作方法。

Step 01 打开一幅素材图像，在“图层”面板中按【Ctrl + J】组合键，复制一个图层，得到“图层 1”图层，单击“滤镜”|“Camera Raw 滤镜”命令，如图 7-2 所示。

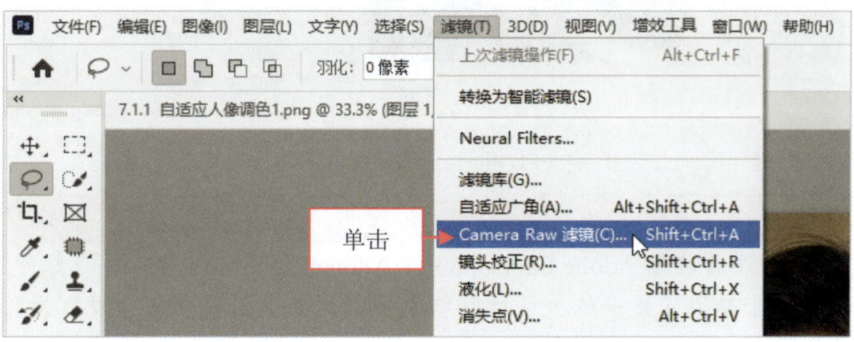

图 7-2　单击“Camera Raw 滤镜”命令

> ▶ 专家指点
>
> 在 Photoshop 中按【Shift + Ctrl + A】组合键，也可以快速打开 Camera Raw 窗口。

Step 02 打开 Camera Raw 窗口，❶在右侧面板中单击“预设”按钮，打开“预设”面板；❷展开“自适应：人像”滤镜组，如图 7-3 所示。

图 7-3　展开“自适应：人像”滤镜组

Step 03 在下方选择“坚毅人像”预设模式，即可加深人像照片的面部阴影，使人物面部轮廓更具立体感，如图 7-4 所示。调色完成后，单击“确定”按钮即可。

图 7-4　自动调整人像照片的面部形态

> ▶ 专家指点
>
> Camera Raw 插件通常与 Adobe Photoshop 和 Adobe Lightroom 等软件一起使用，为摄影师和图像处理专业人士提供了更多的灵活性和创意控制，使他们能够充分发挥摄影的潜力并得到高质量的图像输出。

7.1.2　自适应风景调色

自适应风景调色

【效果对比】在 Camera Raw 中的“自适应：天空”滤镜组中，包含多种天空色调，选择相应的预设样式可以调出相应的风景照片效果。原图与效果对比如图 7-5 所示。

（a）　　（b）

图 7-5　原图与效果对比

下面介绍自适应风景照片调色的操作方法。

Step 01　打开一幅素材图像，单击“滤镜”|“Camera Raw 滤镜”命令，打开 Camera Raw 窗口，❶在右侧的面板中单击“预设”按钮，打开“预设”面板；❷展开“自适应：天空”滤镜组，如图 7-6 所示。

图 7-6　展开“自适应：天空”滤镜组

▶ 专家指点

在“自适应：天空”滤镜组中，包括暗色戏剧、暴风云、蓝色戏剧、霓虹灯热带、日出以及夕阳余晖 6 种预设模式，用户可以一一尝试，调出满意的风景照片效果。

Step 02 在下方选择“夕阳余晖”预设模式，即可加深风景照片中天空的色调，使风景照片更具吸引力，如图 7-7 所示。调色完成后，单击“确定”按钮即可。

图 7-7 选择“夕阳余晖”预设模式

7.1.3 自适应主体调色

自适应主体调色

【效果对比】在 Camera Raw 的“自适应：主体”滤镜组中，包含多种不同的主体预设色调，如流行、暖色流行、柔和、柔冷色、鲜亮以及发光等，选择相应的预设色调可以调整画面中主体对象的颜色。原图与效果对比如图 7-8 所示。

（a）　　（b）

图 7-8 原图与效果对比

下面介绍自适应主体调色的操作方法。

Step 01 打开一幅素材图像，单击“滤镜”|“Camera Raw 滤镜”命令，打开 Camera Raw 窗口，❶在右侧的面板中单击“预设”按钮，打开“预设”面板；❷展开“自适应：主体”滤镜组，如图 7-9 所示。

图 7-9　展开“自适应：主体”滤镜组

Step 02　在下方选择“柔冷色”预设模式，使主体在画面中呈现出柔冷色的效果，与周围的环境对比更加强烈，如图 7-10 所示。调色完成后，单击“确定”按钮即可。

图 7-10　选择“夕阳余晖”预设模式

> **▶ 专家指点**
>
> 如果需要调出主体的暖色调效果，可以选择“暖色流行”预设色调；如果需要使主体的颜色更加鲜艳，可以选择“鲜亮”预设色调；如果用户希望主体对象偏白偏亮，可以选择“发光”预设色调。

7.1.4　改变人像肤色

改变人像肤色

【效果对比】在“人像”滤镜组中，包含多种不同皮肤的人像预设色调，如深色皮肤、中间色皮肤以及浅色皮肤等，不同的肤色给人的视觉感受也不同。原图与效果对比如图 7-11 所示。

（a）　　　　　　　　　　（b）

图 7-11　原图与效果对比

下面介绍改变人像照片肤色的操作方法。

Step 01 打开一幅素材图像，单击“滤镜”|“Camera Raw 滤镜”命令，打开 Camera Raw 窗口，①在右侧面板中单击“预设”按钮；②打开“预设”面板，其中包括 3 组人像滤镜，如图 7-12 所示。

图 7-12　包括 3 组人像滤镜

Step 02 ①展开“人像：深色皮肤”选项；②在下方选择相应的预设模式，即可将人像调为深色皮肤色调，如图 7-13 所示。

Step 03 ①展开“人像：中间色皮肤”选项；②在下方选择相应的预设模式，即可将人像调为中间色皮肤色调，如图 7-14 所示。

Step 04 ①展开“人像：浅色皮肤”选项；②在下方选择相应的预设模式，即可将人像调为浅色皮肤色调，如图 7-15 所示。调色完成后，单击“确定”按钮即可。

图 7-13　将人像调为深色皮肤色调

图 7-14　将人像调为中间色皮肤色调

图 7-15　将人像调为浅色皮肤色调

7.1.5　黑白风格肖像

黑白风格肖像

【效果对比】黑白滤镜是一种常用的调色工具，用于将彩色图像转换为黑白（灰度）图像。在 Camera Raw 中，预设了多种黑白滤镜可以一键调色。原图与效果对比如图 7-16 所示。

（a）　　　　　　（b）

图 7-16　原图与效果对比

下面介绍调出黑白风格的肖像照片的操作方法。

Step 01　打开一幅素材图像，单击“滤镜”|“Camera Raw 滤镜”命令，打开 Camera Raw 窗口，❶在右侧面板中单击“预设”按钮，打开“预设”面板；❷展开“黑白”选项；❸在下方选择“黑白 高对比度”选项，如图 7-17 所示，即可将图像调整为高对比度的黑白效果。

图 7-17　选择“黑白 高对比度”选项

Step 02　选择“黑白 棕褐色调”选项，如图 7-18 所示，即可将图像调整为棕褐色调的黑白效果，带有一种经典、复古的艺术氛围，使照片更富有感染力，单击“确定”按钮即可完成操作。

图 7-18 选择“黑白 棕褐色调”选项

> **▶ 专家指点**
>
> 黑白肖像照片有以下 3 个特点。
>
> - **经典和时光感：**黑白肖像照片往往给人一种经典的感觉，仿佛穿越时光回到过去，这种氛围让观众感受到了岁月的沉淀，增添了照片的历史感和文化底蕴。
> - **对比强烈：**由于没有了彩色的干扰，黑白照片更容易突显画面中的明暗对比，这使得光影效果更为显著，能够强调人物的面部轮廓和表情的细微差异。
> - **纪实和写实：**黑白肖像照片往往更注重对被摄者真实状态的还原，通过简约的方式展现出被摄者的特质和性格，这有助于创造一种纪实和写实的效果。

7.1.6 电影风格照片

电影风格照片

【效果对比】电影风格是指图像中所使用的颜色搭配和调性，类似于电影中的氛围感和视觉效果，通过巧妙的色彩运用，图像处理师能够传达出特定的情感、主题和情境。原图与效果对比如图 7-19 所示。

（a） （b）

图 7-19 原图与效果对比

下面介绍调出电影风格的照片效果的操作方法。

Step 01 打开一幅素材图像，单击“滤镜”|“Camera Raw 滤镜”命令，打开 Camera Raw 窗口，❶在右侧面板中单击“预设”按钮，打开“预设”面板；❷展开“风格：电影”选项；❸在下方选择 CN03 选项，如图 7-20 所示，即可将图像调整为电影风格的色调效果。

图 7-20　选择 CN03 选项

Step 02 在下方选择 CN05 选项，如图 7-21 所示，将图像调为另一种电影风格，色彩更为深沉。调色完成后，单击“确定”按钮即可。

图 7-21　选择 CN05 选项

7.1.7　风景主题调色

【效果对比】在 Camera Raw 中，包括多种有关风景主题的调色滤镜组，如“季节：春季”“季节：夏季”“季节：秋季”“季节：冬季”以及“主题：风景”等滤镜组，在这些滤镜组中选择相应的预设样式可以调出相应的主题效

风景主题调色

果。原图与效果对比如图 7-22 所示。

（a）　　　　　　　　　　（b）

图 7-22 原图与效果对比

下面介绍根据风景主题进行调色的操作方法。

Step 01 打开一幅素材图像，单击“滤镜”|“Camera Raw 滤镜”命令，打开 Camera Raw 窗口，❶在右侧面板中单击“预设”按钮；❷打开“预设”面板，其中包括“季节：春季”“季节：夏季”“季节：秋季”“季节：冬季”以及“主题：风景”等滤镜组，如图 7-23 所示。

图 7-23 包括多种有关风景主题的调色滤镜组

Step 02 ❶展开“季节：春季”选项；❷在下方选择 SP01 选项，如图 7-24 所示，即可将图像调整为春季色调，画面清新有活力。

Step 03 ❶展开“季节：夏季”选项；❷在下方选择 SM02 选项，如图 7-25 所示，即可将图像调整为夏季色调，色彩鲜艳。调色完成后，单击“确定”按钮即可。

图 7-24　选择 SP01 选项

图 7-25　选择 SM02 选项

> ▶ 专家指点
>
> 在“季节：夏季”滤镜组中选择 SM02 预设样式后，拖曳上方的滑块数值，可以设置滤镜的强度，向左拖曳滑块，可以减淡滤镜效果；向右拖曳滑块，可以加强滤镜效果。

7.1.8　食物主题调色

食物主题调色

【效果对比】在 Camera Raw 中，用户还可以根据食物主题进行调色，在“主题：食物”滤镜组中一共包括 11 种预设样式，用户可根据需要进行相应选择。原图与效果对比如图 7-26 所示。

下面介绍根据食物主题进行调色的操作方法。

（a）　　　　　　（b）

图 7-26　原图与效果对比

Step 01　打开一幅素材图像，然后打开 Camera Raw 窗口，❶单击“预设”按钮，打开“预设”面板；❷展开“主题：食物”选项，如图 7-27 所示。

图 7-27　展开“主题：食物”选项

Step 02　在下方选择 FD01 预设模式，如图 7-28 所示，加强食物的暖色调效果。调色完成后，单击“确定”按钮，即可调整食物的色调风格。

图 7-28　选择 FD01 预设模式

7.1.9 沙漠风光调色

沙漠风光调色

【效果对比】暖色调的照片能给人一种温暖、柔和的氛围，能够引发人们的情感共鸣，使照片更富有表现力。暖色调可以加强光影的效果，突出照片中的高光和阴影部分，适合应用在沙漠风光的照片中。原图与效果对比如图 7-29 所示。

（a）　　　　（b）

图 7-29　原图与效果对比

下面介绍调出暖色调的沙漠风光效果的操作方法。

Step 01 打开一幅素材图像，打开 Camera Raw 窗口，❶在右侧展开“亮”和“颜色”选项区；❷在其中设置“曝光”为 0.5、“对比度”为 20、“高光”为-70、“阴影”为 30、“白色”为 50、“黑色”为 20、“自然饱和度”为 10、“饱和度”为-5，增强沙漠原本的黄色调，初步调出沙漠风光的暖色调氛围，效果如图 7-30 所示。

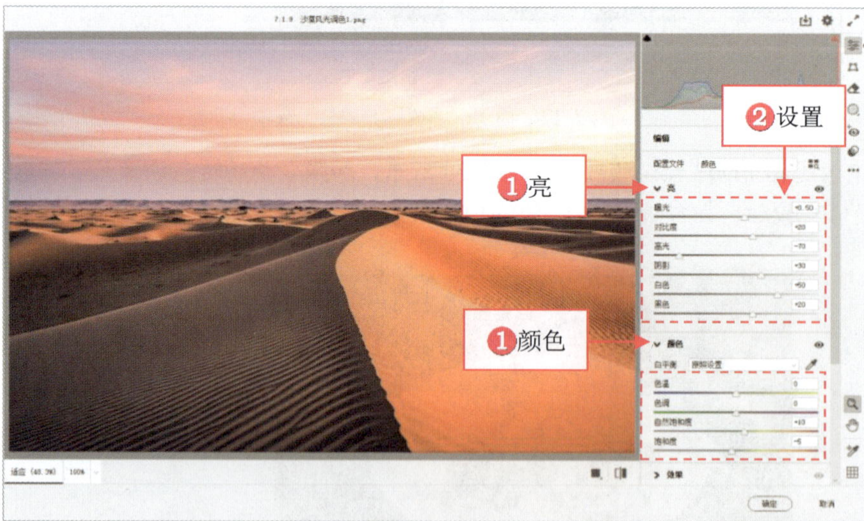

图 7-30　初步调出沙漠风光的暖色调氛围

> **▶ 专家指点**
>
> 暖色调的风光照片通过色彩的温暖和光影的表现力，能够传达出一种独特的情感和美感，这使得暖色调在风光摄影中经常被用于创造引人入胜的画面。

Step 02 ❶展开“混色器”选项区；❷在其中设置“橙色”为 25、“黄色”为-15，使沙漠的色调更加柔和自然，效果如图 7-31 所示。

图 7-31　使沙漠偏橙红色调

> **▶ 专家指点**
>
> 在处理沙漠风光照片时，有以下几点需要注意的技巧。
>
> - **强调暖色调**：沙漠通常呈现出暖色调，因此增加黄色、橙色和红色的饱和度可以使照片更贴近实际场景，通过调整色温和色调，突出沙漠的温暖感。
> - **处理天空**：增强天空的蓝色调，使其更加饱满，与沙漠的暖色调形成强烈的对比，或者通过渲染日落或日出时的天空颜色来营造戏剧性效果。
> - **调整对比度**：沙漠中的光影对比较为强烈，可以适度增加对比度以突显细节，并使图像更有深度感。但要注意不要使对比度过高，以免失去一些细节。
> - **保留自然感**：尽管后期调色可以增强照片的吸引力，但也要注意保持照片的自然感觉，避免过度处理，以免失去真实的沙漠风光氛围。

Step 03 ❶展开“光学”选项区；❷设置“扭曲度”为-5，对镜头进行校正，效果如图 7-32 所示。

图 7-32　对镜头进行校正

> **▶ 专家指点**
>
> Camera Raw 中的“对比度”选项用于增加或降低图像对比度，主要影响中间调。增加对比度时，中间调到暗色调的图像区域会变得更暗，而中间调到亮色调的图像区域会变得更亮；降低对比度时，对图像色调产生的影响与之相反。
>
> 不同的明暗对比，其反映的风格不同。高对比的画面，高光部位与阴影处的亮度差异大，从明到暗的层次变化明显，画面给人的感觉会较硬；反之，低对比的画面层次变化不明显，画面效果较柔和，如图 7-33 所示。
>
> 
>
> （a）　　（b）
>
> 图 7-33　高对比和低对比的图像画面效果

Step 04　①展开“效果”选项区；②在其中设置“晕影”为-15，减少照片四周的曝光度，为沙漠风光添加黑色的暗角效果，如图 7-34 所示。调色完成后，单击“确定”按钮即可。

图 7-34　为沙漠风光添加黑色的暗角效果

7.1.10　调整天空颜色

【效果对比】在 Camera Raw 中，通过为风光照片中的天空区域创建蒙版，可以对天空的色调进行单独处理。原图与效果对比如图 7-35 所示。

调整天空颜色

（a）　　（b）

图 7-35　原图与效果对比

下面介绍调整照片中的天空颜色的操作方法。

Step 01　打开一幅素材图像，打开 Camera Raw 窗口，❶在右侧面板中单击“蒙版”按钮，打开相应面板；❷在上方单击“天空”按钮，如图 7-36 所示。

图 7-36　单击“天空”按钮

▶ 专家指点

在 Camera Raw 窗口中，创建蒙版可以实现对照片不同区域的局部调整，通过精确控制图像的各项参数，使得调整更加细腻且不影响原图像的其他部分，从而提高照片的整体质量和后期处理效率。

Step 02　执行操作后，即可为天空创建蒙版，天空区域以红色叠加显示，如图 7-37 所示。

Step 03　❶在面板中展开“亮”选项，在下方设置“曝光”为 0.55、“对比度”为 8，增强图像的曝光度与对比度；❷展开“颜色”选项，在下方设置“色温”为-61、“色调”为 20，如图 7-38 所示，调整天空区域的色彩。

Step 04　单击“确定”按钮，即可完成调色操作。

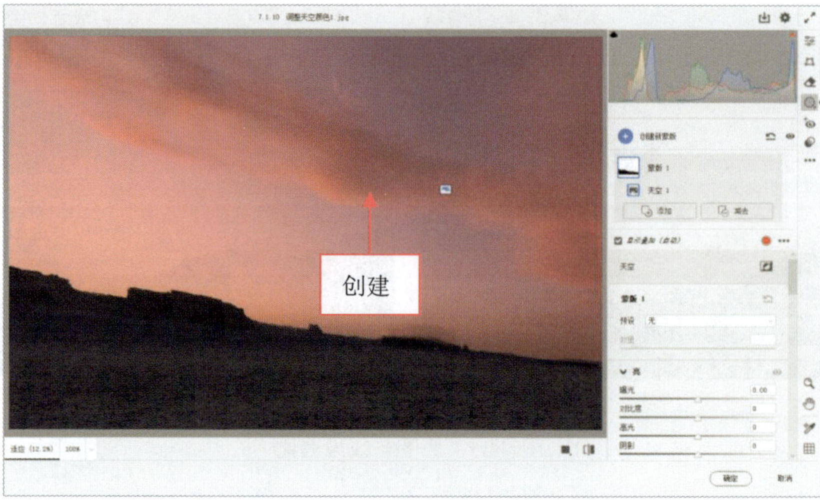

图 7-37　天空区域以红色叠加显示

图 7-38　设置各参数

▶ 专家指点

展开“颜色”选项，其中各主要选项含义如下。

- **“色温”选项：**用于调整图像某个区域的色温，使其变暖或变冷，可提高在混合光照条件下捕捉的图像质量。
- **“色调”选项：**用于对绿色或洋红色色调进行补偿。

7.2　创建自动蒙版编辑照片

在 Camera Raw 的“蒙版”面板中提供了各种局部调整工具，这些工具可以帮助用户精确调整图像的颜色或明亮度范围，并通过最大程度的创意控制编辑图像中的特定区域。本节主要介绍创建自动蒙版编辑照片的操作方法。

7.2.1　创建主体蒙版

创建主体蒙版

【效果对比】在 Camera Raw 中为主体创建蒙版后，可以单独调整主体对象的亮度与颜色等属性，使主体在图像中更加突出与显眼。原图与效果对比如图 7-39 所示。

（a）　（b）

图 7-39　原图与效果对比

下面介绍创建主体蒙版的操作方法。

Step 01　打开一幅素材图像，单击“滤镜”|“Camera Raw 滤镜”命令，打开 Camera Raw 窗口，在右侧面板中单击“蒙版”按钮，如图 7-40 所示。

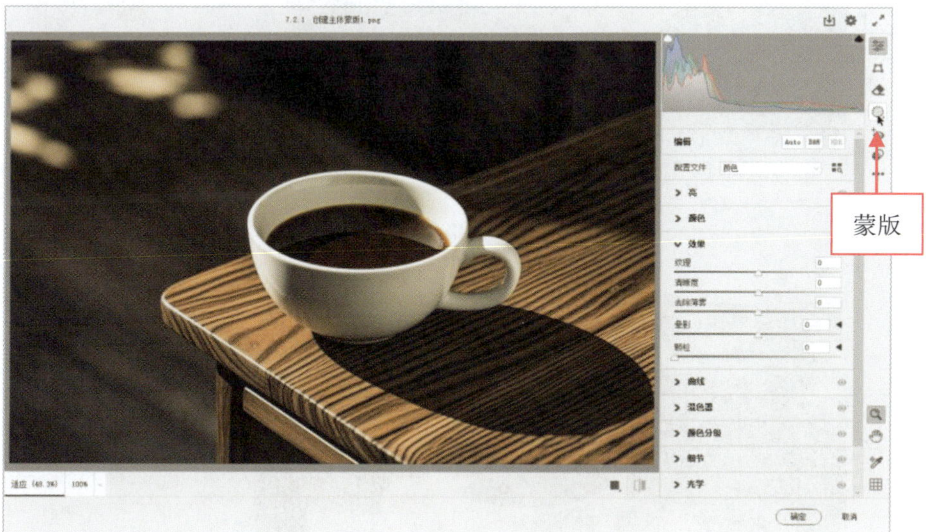

图 7-40　单击“蒙版”按钮

Step 02　打开相应面板，在上方单击“主体”按钮，如图 7-41 所示。

Step 03　执行操作后，即可为图像中的咖啡杯主体创建蒙版，❶展开“亮”选项；❷设置“曝光”为 0.9，提高主体的亮度，如图 7-42 所示。

Step 04　❶展开“颜色”选项；❷设置“色温”为 35、“色调”为 45，如图 7-43 所示，将主体对象调为暖色调效果，单击“确定”按钮，即可完成调色操作。

图 7-41　单击“主体”按钮

图 7-42　提高主体的亮度

图 7-43　设置主体的色温与色调

7.2.2　创建天空蒙版

创建天空蒙版

【效果对比】如果用户对图像中的天空色彩不满意，此时可以为天空区域创建蒙版，然后单独调整天空区域的色彩与色调。原图与效果对比如图 7-44 所示。

（a）　　　　（b）

图 7-44　原图与效果对比

下面介绍创建天空蒙版的操作方法。

Step 01　打开一幅素材图像，单击“滤镜”|“Camera Raw 滤镜”命令，打开 Camera Raw 窗口，❶在“编辑”面板上单击 Auto（自动设置）按钮，自动调整图像的色调；❷设置“曝光”为 0.4、“对比度”为 30，如图 7-45 所示，调整图像的曝光与对比度，提亮图像细节。

图 7-45　设置各参数

> ▶ 专家指点
>
> 在 Camera Raw 窗口中，在“编辑”面板上单击“黑白”按钮，可以制作出图像的黑白效果，在下方设置相应的参数，可以调出不同质感的黑白照片。

Step 02　❶在右侧面板中单击“蒙版”按钮，打开相应面板；❷在上方单击“天空”按钮，如图 7-46 所示。

图 7-46　单击“天空”按钮

Step 03　执行操作后，即可为天空创建蒙版，天空区域以红色叠加显示，如图 7-47 所示。

图 7-47　天空区域以红色叠加显示

> **▶ 专家指点**
>
> 在“蒙版”面板中，选择相应的蒙版后，单击“添加”按钮，可以进一步添加蒙版的范围；单击“减去”按钮，可以减去或擦除自动选取的区域；选中“显示叠加”复选框，将在图像中以叠加的颜色显示蒙版的区域与范围，方便用户查看创建的蒙版。对蒙版的范围感到满意后，可使用右侧的编辑滑块进行局部调整。

Step 04　①在面板中展开“亮”选项，在下方设置“对比度”为 25，增强图像的对比度；②展开“颜色”选项，在下方设置“色温”为 53、“色调”为 35，如图 7-48 所示，调整天空区域的色彩，使日落的晚霞更加迷人，单击“确定”按钮，即可完成调色操作。

图 7-48　设置“色温”与“色调”参数

7.2.3　创建背景蒙版

创建背景蒙版

【效果对比】如果用户对风光照片的背景不满意，此时可以单独调整风光照片背景的色彩与色调，使整体的颜色更加协调、统一。原图与效果对比如图 7-49 所示。

（a）　　（b）

图 7-49　原图与效果对比

下面介绍创建背景蒙版的操作方法。

Step 01　打开一幅素材图像，单击“滤镜”|“Camera Raw 滤镜”命令，打开 Camera Raw 窗口，❶在右侧面板中单击“蒙版”按钮，执行操作后，即可打开相应面板；❷在面板上方单击“背景”按钮，如图 7-50 所示，可以自动选择照片中的背景区域。

Step 02　执行操作后，即可为背景创建蒙版，背景区域以红色叠加显示，如图 7-51 所示，我们可以看到人物的影子也被列入了背景区域，需要将该区域减出来。

Step 03　❶在“蒙版”面板中，单击“减去”按钮，在弹出的列表框中选择“画笔”选项；❷使用画笔工具将人物的影子涂抹出来，从背景蒙版中减出去，如图 7-52 所示，此时该区域将不会显示红色的颜色叠加。

图 7-50　单击“背景”按钮

图 7-51　为背景创建蒙版

图 7-52　将影子涂抹出来

Step 04 ❶在“蒙版”面板中，展开“亮”选项；❷在下方设置“曝光”为-0.45、“对比度”为22、“高光”为-52，如图 7-53 所示，降低背景区域的亮度与高光，提高对比度。

图 7-53　设置“亮”选项下的相关参数

Step 05 ❶展开“颜色”选项；❷在下方设置“色温”为-36、“色调”为-10、“饱和度”为 36，如图 7-54 所示，将背景调为冷色调，使画面更加耐看，单击“确定”按钮，即可完成调色操作。

图 7-54　设置“颜色”选项下的相关参数

7.2.4　创建对象蒙版

【效果对比】在 Camera Raw 中为对象创建蒙版后，可以调整对象的亮度、对比度与色彩等属性，使图像的整体效果更具吸引力和可视性。原图与效果对比如图 7-55 所示。

创建对象蒙版

下面介绍创建对象蒙版的操作方法。

（a）　　　　　　（b）

图 7-55　原图与效果对比

Step 01　打开一幅素材图像，单击“滤镜”|“Camera Raw 滤镜”命令，打开 Camera Raw 窗口，❶在右侧面板中单击“蒙版”按钮，打开相应面板；❷单击“物体”按钮，如图 7-56 所示。

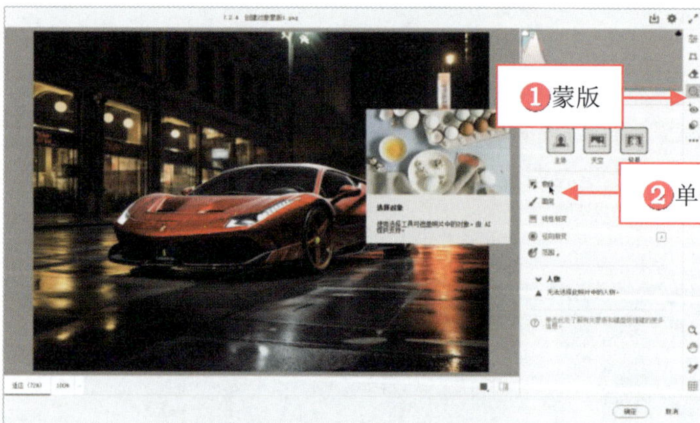

图 7-56　单击“物体”按钮

Step 02　在图像中的汽车上进行涂抹，被涂抹的区域呈红色叠加显示，如图 7-57 所示。

图 7-57　被涂抹的区域呈红色叠加显示

Step 03　释放鼠标左键，即可自动选中汽车对象，如图 7-58 所示。

图 7-58　自动选中汽车对象

Step 04 ①展开“亮”选项；②设置“曝光”为 1.15、“对比度”为 52、“高光”为-21，如图 7-59 所示，调整对象的亮度属性。

图 7-59　调整对象的亮度属性

Step 05 ①展开“颜色”选项；②设置“色温”为 10、“色相”为-5、“饱和度”为 20，如图 7-60 所示，提高对象的鲜艳度，使汽车更具表现力。

图 7-60　调整对象的颜色属性

Step 06 单击“确定”按钮，即可完成调色操作。

7.2.5 创建人物蒙版

创建人物蒙版

【效果对比】在 Camera Raw 的蒙版操作中，通过强大的 AI 功能，可以自动识别出人像的各个部分（如面部皮肤、身体皮肤、眉毛、眼睛以及嘴唇等）并单独进行调整，使人像照片更加完美。原图与效果对比如图 7-61 所示。

（a）　　　　（b）

图 7-61　原图与效果对比

下面介绍创建人物蒙版的操作方法。

Step 01 打开一幅素材图像，在“图层”面板中，按【Ctrl + J】组合键，复制一个图层，得到“图层 1”图层，单击“滤镜”|“Camera Raw 滤镜”命令，打开 Camera Raw 窗口，❶在右侧面板中单击“蒙版”按钮，打开相应面板；❷在“人物”下方单击“人物 1”缩略图，如图 7-62 所示。

图 7-62　单击“人物 1”缩略图

Step 02 进入“人物蒙版选项”面板，❶选中“面部皮肤”“身体皮肤”和“唇”这 3 个复选框；❷单击“创建”按钮，如图 7-63 所示。

图 7-63　单击“创建”按钮

Step 03 进入相应面板，❶取消选中“显示叠加”复选框；❷在下方设置“曝光”为 0.5，提亮皮肤；设置“对比度”为 18，增强画面对比度，使人物轮廓更具立体感；设置“高光”为 6，增强皮肤的高光，使皮肤更有光泽感，如图 7-64 所示，完成人物皮肤的调整。

图 7-64　设置各参数

Step 04 单击“确定”按钮，返回 Photoshop 工作界面，查看处理完成的人像照片效果。

▶ 专家指点

在 Camera Raw 中，可以单独对人物的面部皮肤、身体皮肤、眉毛、眼睛巩膜、虹膜和瞳孔、唇、牙齿、头发以及衣服等各个部分进行单独调整。

7.3 其他实用的 AI 调整功能

在 Camera Raw 中，还有一些实用的 AI 调整功能，如使用白平衡工具自动校正色温和色调、使用“优化饱和度”功能微调照片，以及使用 AI 减少杂色实现自动降噪处理等，帮助用户轻松调出满意的图像作品。

7.3.1 自动校正白平衡

自动校正白平衡

【效果对比】当数码相机的白平衡设置不当时，会导致拍摄出来的照片颜色出现一些变化，在后期处理中，利用 Camera Raw 滤镜中的白平衡工具，可以还原拍摄场景的颜色，让画面更自然。原图与效果对比如图 7-65 所示。

（a） （b）

图 7-65 原图与效果对比

下面介绍使用白平衡工具自动校正色温和色调的操作方法。

Step 01 打开一幅素材图像，单击“滤镜”|“Camera Raw 滤镜”命令，打开 Camera Raw 窗口，❶在右侧的面板中展开“颜色”选项；❷单击白平衡工具，如图 7-66 所示。

图 7-66 单击白平衡工具

Step 02 在图像上的适当位置单击鼠标左键，即可自动调整图像的白平衡效果，如图 7-67 所示。

图 7-67　自动调整图像的白平衡效果

Step 03 在右侧的“亮”选项区中，设置“曝光”为 0.8、“对比度”为 23、“高光”为 28、“阴影”为-30、“白色”为 17，如图 7-68 所示，调整图像的画面细节，使图像更具吸引力。

Step 04 ❶在“颜色”选项区中，设置“自然饱和度”为 31；❷在“效果”选项区中，设置“清晰度”为 8、“去除薄雾”为 13，如图 7-68 所示，调色完成后，单击“确定”按钮即可。

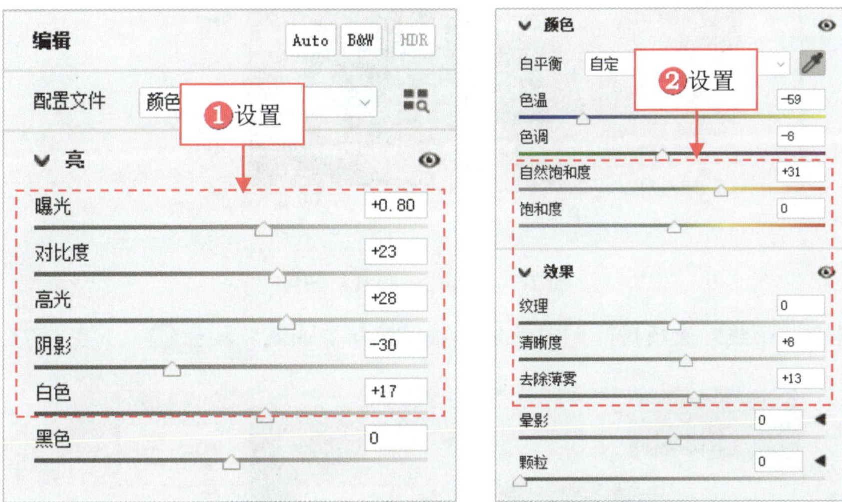

（a）　　　　　　（b）

图 7-68　设置各参数

7.3.2　微调优化饱和度

【效果对比】在 Camera Raw 中使用点曲线工具编辑图像时，图像的整体饱和度会发生改变，如果要在进行点曲线调整时控制图像的饱和度变化，可以使用“优化饱和度”功能对图像进行调整。原图与效果对比如图 7-69 所示。

微调优化饱和度

下面介绍使用优化饱和度功能微调照片的操作方法。

Step 01 打开一幅素材图像，单击“滤镜”|“Camera Raw 滤镜”命令，打开 Camera Raw 窗口，如图 7-70 所示。

（a）　　　　（b）

图 7-69　原图与效果对比

图 7-70　打开一幅素材图像

Step 02　❶展开“曲线”选项区；❷单击“单击以编辑点曲线”按钮，如图 7-71 所示。

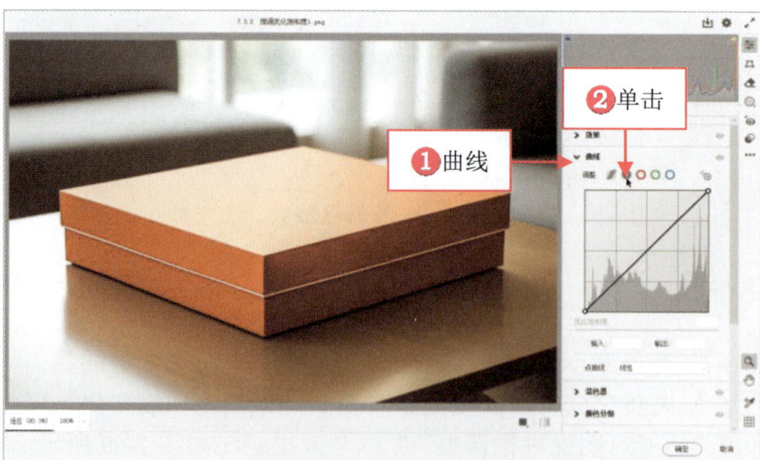

图 7-71　单击“单击以编辑点曲线”按钮

Step 03　❶在曲线上添加一个关键点；❷设置“输入”为 128、“输出”为 173、“优化饱和度”为 38，如图 7-72 所示，调整图像的色调，并优化图像的饱和度。

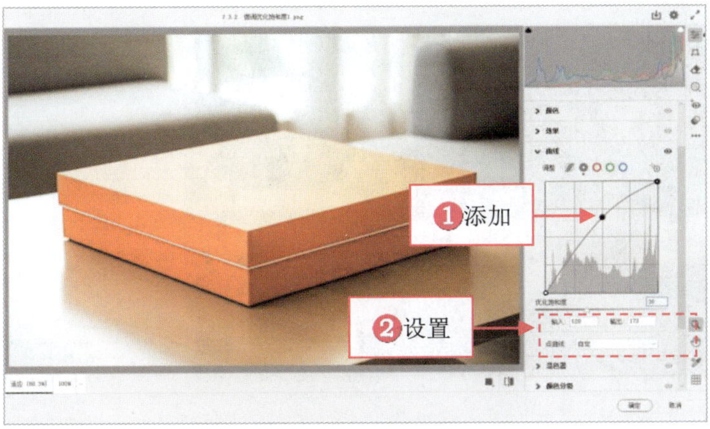

图 7-72 设置各参数

> **▶ 专家指点**
>
> 曲线是一个一个用于控制不同影调区域对比度的工具，曲线的更改表示对图像色调范围所做的更改，其水平轴表示图像的原始色调值，左侧为黑色，向右侧逐渐变亮；垂直轴表示图像的更改色调值，底部为黑色，向上逐渐变为白色。

Step 04 调色完成后，单击“确定”按钮，即可完成图像的调整。

7.3.3 减少杂色自动降噪

减少杂色自动降噪

【效果对比】 照片中的噪点是指相机中的图像传感器将光线作为接收信号，在输出过程中产生的图像中粗糙的部分，这些粗糙的部分就是一些小糙点（noise，也称为噪声、噪音），所以被称为噪点。在 Camera Raw 中，用户可以使用 AI 减少杂色功能对图像进行自动降噪处理。原图与效果对比如图 7-73 所示。

（a）　　（b）

图 7-73 原图与效果对比

下面介绍使用 AI 减少杂色实现自动降噪处理的操作方法。

Step 01 打开一幅素材图像，单击“滤镜”|“Camera Raw 滤镜”命令，打开 Camera Raw 窗口，❶展开“亮”选项区，在其中设置“曝光”为 1.6、“对比度”为 18、“高光”为-79、“阴影”为 59、“白色”为-34、“黑色”为 50；❷展开“颜色”选项区，在其中设置“自然饱和度”为 43、“饱和度”为 13，增强画面的暖色调氛围，效果如图 7-74 所示。

图 7-74　增强画面的暖色调氛围

Step 02 在“细节”选项区中，设置“锐化”为 47、“减少杂色”为 20，锐化图像的边缘，让图像更加清晰，如图 7-75 所示，单击“确定”按钮，即可完成图像的调整。

图 7-75　锐化图像的边缘

> ▶ 专家指点
>
> 锐化主要用于设置图像边缘的清晰度，数值越高图像锐化效果越明显，数值越低图像边缘越柔和。同时，在观察锐化效果时，一般要把图像放大到 100%，这样才能更准确地看到锐化给画面带来的影响。

本章小结

本章首先介绍了预设实现图像自动调色的方法；其次讲解了如何创建自动蒙版编辑照片，包括主体蒙版、天空蒙版、背景蒙版、对象蒙版以及人物蒙版；最后介绍了一些实用的 AI 调整功能，包括自动校正白平衡、微调优化饱和度以及减少杂色自动降噪。通过本章的学习，读者能够运用 Camera Raw 进行图像处理。

课后实训

鉴于本章知识的重要性，为了帮助读者更好地掌握所学知识，本节将通过上机习题帮助读者进行简单的知识回顾和补充。

课后实训

【效果对比】使用 Camera Raw 对风光照片的色彩与色调进行调整。素材和效果对比如图 7-76 所示。

（a）　　（b）

图 7-76　素材和效果对比

Step 01　打开一幅素材图像，单击“滤镜”|“Camera Raw 滤镜”命令，进入 Camera Raw 窗口，❶在“亮”选项区中，设置“曝光”为 0.65、“对比度”为 21、“高光”为-70、“阴影”为 56、“白色”为 11、“黑色”为-15；❷在“颜色”选项区中，设置“自然饱和度”为 17、“饱和度”为 5，调整风光照片的色彩，效果如图 7-77 所示。

Step 02　在“曲线”选项区中，❶单击“单击以编辑点曲线”按钮；❷在曲线上添加两个关键点；❸设置相应参数，调整风光照片的色调，如图 7-78 所示，单击“确定”按钮即可完成操作。

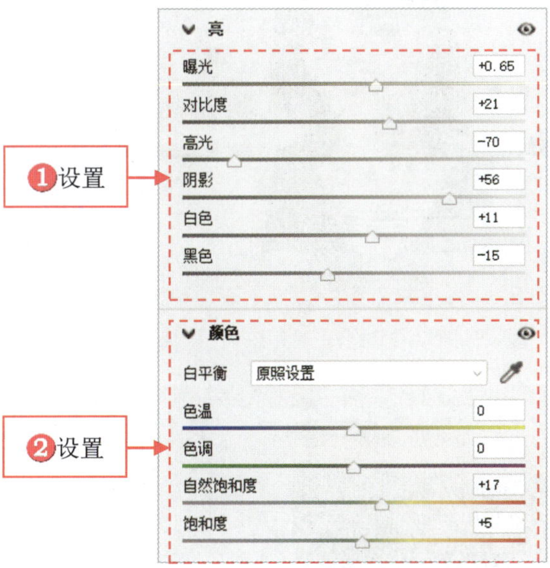

图 7-77　调整风光照片的色彩

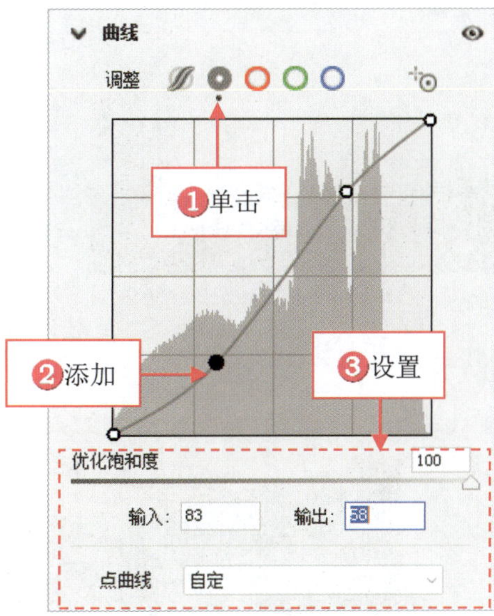

图 7-78　调整风光照片的色调

第 8 章

ACR 工具处理图像进阶操作

8

Camera Raw 中有一些 AI 图像处理功能。本章以翠绿草原、人像美颜以及星空照片这 3 个实例为例，讲解运用 Camera Raw 工具进行专业修图的操作方法，帮助读者掌握在 PS 中处理图像的进阶操作。

本章重点

- 掌握处理翠绿草原照片的操作方法
- 熟悉处理人像美颜照片的操作方法
- 熟知处理星空摄影照片的操作方法

8.1 处理翠绿草原照片

【效果对比】本实例主要介绍处理翠绿草原图像的方法，主要包括调整图像的基本色彩、用曲线调整图像明暗对比、进行降噪并用 AI 减少杂色、调整照片色彩并添加晕影等内容。原图与效果对比如图 8-1 所示。

（a）　　　　（b）

图 8-1 原图与效果对比

8.1.1 调整图像基本色彩

调整图像基本色彩

在 Camera Raw 的“编辑”面板中，使用“基本”选项区中的各种色调控件，可以调整图像的整体色调等级。在进行操作时，用户必须注意直方图的端点，或者开启阴影和高光修剪警告。下面介绍运用“基本”功能调整图像色调的操作方法。

Step 01 打开一幅素材图像，单击“滤镜”|“Camera Raw 滤镜”命令，打开 Camera Raw 窗口，如图 8-2 所示。

图 8-2 打开一幅素材图像

Step 02 在“亮”选项区中，设置“曝光”为 0.7、“对比度”为 64、“高光”为-100、“阴影”为 57、“白色”为-100、“黑色”为 36，提高图像的曝光、对比度和阴影，降低高光和白色，显示出天空的细节，如图 8-3 所示。

图 8-3　调整图像的基本色调

Step 03　在“效果”选项区中，设置“纹理”为 12、“清晰度”为 15、“去除薄雾”为 22，增强画面的清晰度并降低朦胧感，效果如图 8-4 所示。

图 8-4　增强画面的清晰度并降低朦胧感

▶ 专家指点

Camera Raw 中的“对比度”选项用于增加或降低图像对比度，主要影响中间调。增加对比度时，中间调到暗色调的图像区域会变得更暗，而中间调到亮色调的图像区域会变得更亮；降低对比度时，对图像色调产生的影响与之相反。

不同的明暗对比，其反映的风格不同。高对比的画面，高光部位与阴影处的亮度差异大，从明到暗的层次变化明显，画面给人的感觉会较硬；反之，低对比的画面层次变化不明显，画面效果较柔和。

Step 04　在“颜色”选项区中，设置“色温”为 5、“色调”为 8、“自然饱和度”为 26、“饱和度”为 7，增强画面的整体色彩饱和度，效果如图 8-5 所示。

图 8-5　增强画面的整体色彩饱和度

8.1.2　曲线调整图像对比

曲线调整图像对比

使用 Camera Raw 的“曲线”功能，在后期处理中可以调整画面的高光、亮调、暗调、阴影等影调部分，让画面的表现力更强。下面介绍运用“曲线”功能控制图像影调的方法。

Step 01　在“曲线”选项区中，①单击“单击以编辑点曲线”按钮；②在曲线上添加第 1 个控制点；③设置“输入”为 162、“输出”为 181，适当提亮画面，效果如图 8-6 所示。

图 8-6　适当提亮画面

Step 02　①在曲线上添加第 2 个控制点；②设置“输入”为 96、“输出”为 94，增强画面的对比度，效果如图 8-7 所示。

Step 03　①单击“单击以编辑参数曲线”按钮；②设置“亮调”为-18、“阴影”为-9，适当降低画面的亮调和阴影，效果如图 8-8 所示。

图 8-7　增强画面的对比度

图 8-8　适当降低画面的亮调和阴影

8.1.3　进行降噪减少杂色

进行降噪减少杂色

画面是否足够清晰是评价一张照片画质高低的重要标准。在本小节中，利用 Camera Raw 中的“锐化”功能对模糊的照片进行锐化处理，从而获取清晰的照片效果，然后运用“减少杂色”功能实现 AI 降噪处理，具体操作步骤如下。

Step 01　在“细节”选项区中，设置“锐化”为 67、“减少杂色”为 10、“杂色深度减低”为 30，提升画面清晰度，效果如图 8-9 所示。

Step 02　❶单击“锐化”右侧的倒三角按钮◀；❷在展开的选项中，设置“细节”为 30，提升画面的细节，效果如图 8-10 所示。

图 8-9　提升画面清晰度

图 8-10　提升画面细节

▶ 专家指点

在图 8-10 中，单击“锐化”右侧的倒三角按钮◀，在展开的选项中，“锐化”选项用于设置图像边缘的清晰度；“半径”选项用于设置图像的细节大小；“细节”选项用于设置在图像中锐化的高频信息和锐化过程强调边缘的程度；“蒙版”选项用于控制图像边缘的蒙版，当该数值为 100 时，锐化主要限制在饱和度最高的图像边缘附近。同时，在观察锐化效果时，一般要把图像放大到 100%，这样才能更准确地看到锐化给画面带来的影响。

8.1.4　照片调色并添加晕影

照片调色并添加晕影

使用“基本”功能和“曲线”功能可以控制照片的整体影调与色彩，但是如果用户需要单独调整某一颜色区域的亮度与饱和度，则可以使用“混色器”

功能来实现。下面介绍运用“混色器”功能调整图像色彩并添加晕影的操作方法。

Step 01 在“混色器”选项区中，❶设置“调整”为 HSL；❷切换至“饱和度”选项卡；❸设置“橙色”为 32、“绿色”为-17、“蓝色”为-35，增强照片中朝霞、草地与天空色彩的饱和度，效果如图 8-11 所示。

图 8-11　增强照片中朝霞、草地与天空色彩的饱和度

Step 02 ❶切换至“明亮度”选项卡；❷设置“橙色”为-50、“绿色”为 24、“蓝色”为-15，降低朝霞和天空的亮度，使画面色彩更加鲜艳、亮丽，效果如图 8-12 所示。

图 8-12　在“明亮度”选项卡中设置各参数

Step 03 在“光学”选项区中，设置“晕影”为-30，添加黑色的暗角效果，如图 8-13 所示，单击“确定”按钮，即可完成最终效果。

图 8-13　添加黑色的暗角效果

8.2　处理人像美颜照片

【效果对比】本实例主要介绍人像美颜处理的方法，主要包括去除人物的红眼、更改照片色彩风格、处理人物的皮肤、处理人物的红唇、处理人物的头发、处理人物的衣服等内容。原图与效果对比如图 8-14 所示。

（a）　　（b）

图 8-14　原图与效果对比

8.2.1　去除人物的红眼

如果拍摄的人物照片出现了红眼的现象，此时可以使用 Camera Raw 中的“红眼”功能去除人物的红眼，具体操作步骤如下。

去除人物的红眼

Step 01　单击“文件”|“打开”命令，打开一幅素材图像，如图 8-15 所示。

Step 02　选取工具箱中的缩放工具，在图像上按住鼠标左键并拖曳，放大图像的红眼区域，仔细查看人物的面部细节，如图 8-16 所示。

图 8-15　打开一幅素材图像

图 8-16　查看人物的面部细节

Step 03　在菜单栏中，单击“滤镜”|“Camera Raw 滤镜”命令，打开 Camera Raw 窗口，在右侧面板中单击“红眼”按钮，如图 8-17 所示。

图 8-17　单击“红眼”按钮

Step 04　弹出“红眼”面板，在图像中按住鼠标左键并拖曳，框选人物的两只红眼，释放鼠标左键，此时 ACR 自动识别人物的红眼并恢复正常的色彩，如图 8-18 所示。

图 8-18　ACR 自动识别人物的红眼并恢复正常的色彩

Step 05　操作完成后，单击“确定”按钮，返回 Photoshop 工作界面，查看去除红眼后的人物面部效果，如图 8-19 所示。

图 8-19　查看去除红眼后的人物面部效果

8.2.2　更改照片色彩风格

更改照片色彩风格

在 Camera Raw 的“基本”选项区中，通过更改“色温”与“色调”参数，可以改变照片的色彩风格，具体操作步骤如下。

Step 01　单击“滤镜”|“Camera Raw 滤镜”命令，打开 Camera Raw 窗口，在“颜色”选项区中，设置“色温”为-20、“色调”为-5、将照片调为冷色调风格，效果如图 8-20 所示。

图 8-20　将照片调为冷色调风格

Step 02　在“亮”选项区中，设置“曝光”为 0.15、“对比度”为 8、“高光”为-5、“阴影”为 6、“白色”为 24，提高照片的曝光和对比度，效果如图 8-21 所示。

Step 03　在“颜色”选项区中，继续设置“自然饱和度”为 28，进一步增强画面的整体色彩饱和度，效果如图 8-22 所示。

图 8-21　提高照片的曝光和对比度

图 8-22　增强画面的整体色彩饱和度

8.2.3　处理人物的皮肤

处理人物的皮肤

由于光线问题，导致拍摄出来的人像照片皮肤出现过黑的现象，此时可以单独调整人物脸部与身体的皮肤，将皮肤调白调亮，使人物更加好看。下面介绍处理人物皮肤的方法，具体操作步骤如下。

Step 01　❶在右侧面板中单击“蒙版”按钮，打开相应面板；❷在“人物”下方单击“人物 1”缩略图，如图 8-23 所示。

Step 02　进入“人物蒙版选项”面板，❶在下方选中“面部皮肤”和“身体皮肤”两个复选框；❷单击“创建”按钮，如图 8-24 所示。

图 8-23　单击“人物 1”缩略图

图 8-24　单击“创建”按钮

Step 03　进入相应面板，1取消选中“显示叠加”复选框；2在“亮”选项区中设置“曝光”为 0.1、“对比度”为 4，增强画面对比度，使人物轮廓更具立体感；3设置“高光”为-10、“阴影”为 10，降低皮肤的高光，提高阴影细节，如图 8-25 所示。

图 8-25　在“亮”选项区中设置各参数

Step 04 在“效果”选项区中，设置“清晰度”为-13，让面部有朦胧感，达到一键磨皮的效果，使皮肤看上去更加光滑，如图 8-26 所示。

图 8-26　使皮肤看上去更加光滑

8.2.4　处理人物的嘴唇

处理人物的嘴唇

在人物摄影中，嘴唇的颜色通常也是观众的视觉焦点之一，嘴唇的颜色可以传达丰富的情感和情绪，因为嘴唇是面部的明亮区域，而且常常与嘴部的形状和表情相关，所以吸引了人们的目光，嘴唇可以影响人物形象的表达。如果对人物的嘴唇颜色不太满意，此时可以通过下面的方法进行调整。

Step 01 单击“创建新蒙版”按钮，弹出列表框，选择“选择人物”选项，如图 8-27 所示。

图 8-27　选择“选择人物”选项

Step 02 进入“人物蒙版选项”面板，❶选中“唇”复选框；❷单击“创建”按钮，如图 8-28 所示。

图 8-28　单击“创建”按钮

Step03 进入相应面板，在下方取消选中“显示叠加”复选框，在“颜色”选项区中，设置“色温”为 7、“色调”为-9、“饱和度”为 100，增强嘴唇的红润度，如图 8-29 所示，完成人物嘴唇的调整。

图 8-29　增强嘴唇的红润度

8.2.5　处理人物的头发

处理人物的头发

头发可以展现一个人的精神面貌，如果对人物头发的颜色不太满意，此时可以通过以下方法进行调整。

Step01 在右侧面板中单击“创建新蒙版”按钮，在弹出的列表框中选择“选择人物”选项，如图 8-30 所示。

Step02 进入“人物蒙版选项”面板，❶在下方选中“头发”复选框；❷单击“创建”按钮，如图 8-31 所示。

Step03 进入相应面板，❶取消选中“显示叠加”复选框；在“颜色”选项区中，❷设置“色温”为 28、“色调”为 85、“色相”为 15、“饱和度”为 40，改变头发色彩，如图 8-32 所示。

图 8-30　选择“选择人物”选项

图 8-31　单击“创建”按钮

图 8-32　改变发头的色彩

8.2.6　处理人物的衣服

处理人物的衣服

如果对人物的衣服颜色不太满意，也可以在 Camera Raw 中改变人物衣服的色彩，具体操作步骤如下。

Step 01 在右侧面板中单击“创建新蒙版”按钮，在弹出的列表框中选择“选择人物”选项，如图 8-33 所示。

图 8-33　选择“选择人物”选项

Step 02 进入“人物蒙版选项”面板，❶在下方选中“衣服”复选框；❷单击“创建”按钮，如图 8-34 所示。

图 8-34　单击“创建”按钮

Step 03 进入相应面板，❶取消选中“显示叠加”复选框；❷在“亮”选项区中，设置“曝光”为 0.1，提高衣服的亮度；❸设置“对比度”为 9，增强衣服的对比度，使人物的衣服更具立体感；❹设置“高光”为-17，降低衣服的高光，如图 8-35 所示。

图 8-35　在“亮”选项区中设置各参数

Step 04 在“颜色”选项区中，设置“色调”为 33、“色相”为-16、“饱和度”为 18，调整衣服的色彩与饱和度，如图 8-36 所示。操作完成后，单击“确定”按钮，即可完成人像美颜操作。

图 8-36　调整衣服的色彩与饱和度

8.3　处理星空摄影照片

【效果对比】本实例主要介绍处理星空照片的方法，主要包括调整星空照片的整体色彩、增强星空色彩并进行锐化、校准星空照片的色彩色调、用镜像滤镜加强银河的光影等内容。原图与效果对比如图 8-37 所示。

（a）

（b）

图 8-37　原图与效果对比

8.3.1　调整照片的整体色彩

调整照片的整体色彩

一般的风光摄影，可以在白天拍摄，不管是阴天、雨天还是晴天都可以拍风光片。但星空摄影只能在夜晚拍摄，而且还要天气晴朗没有月光的干扰，夜深人静之时正是拍摄星空的最佳时间。当拍摄好星空照片后，首先需要调整照片的整体色彩，具体操作步骤如下。

Step 01　打开一幅素材图像，单击“滤镜”|“Camera Raw 滤镜”命令，打开 Camera Raw 窗口，在“亮”选项区中，设置“曝光”为 1、“对比度”为 31、“高光”为-13、“阴影”为 40、“白色”为 18、“黑色”为 11，如图 8-38 所示，提高曝光、对比度和阴影等，降低高光，显示出星空银河的细节。

Step 02　在“颜色”选项区中，设置“色温”为-13、“色调”为-29、“自然饱和度”为 30、“饱和度”为-2，如图 8-39 所示，将夜空中的银河调为冷蓝色调，增强星空银河的饱和度，使色彩更加鲜艳。

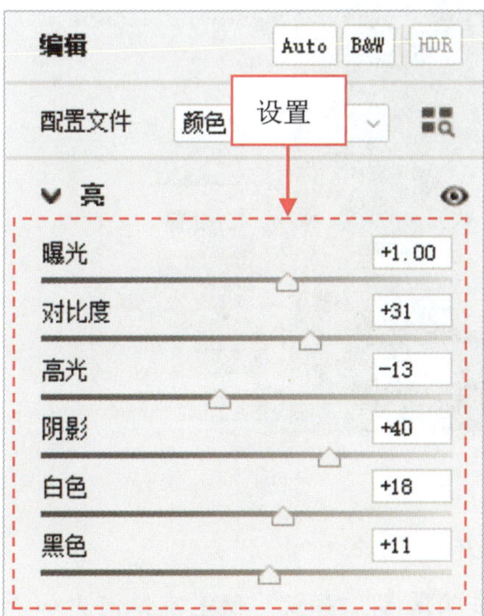

图 8-38　设置“亮”参数

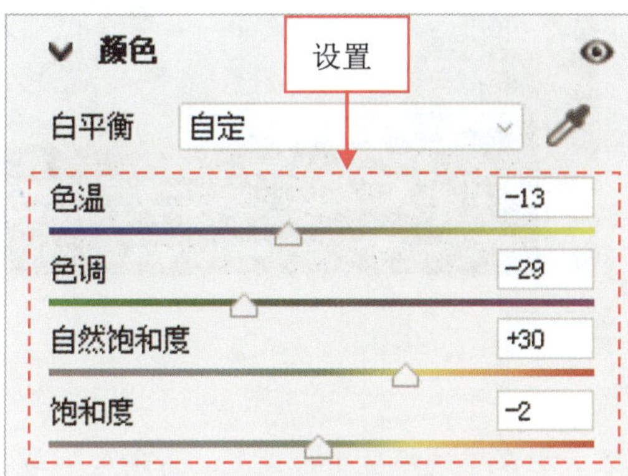

图 8-39　设置“颜色”参数

8.3.2 增强色彩并进行锐化

增强色彩并进行锐化

色彩增强和锐化处理可以提升图像的视觉效果和清晰度，通过加强颜色和细节来突出主题，改善颜色失真，增加视觉吸引力，同时传递情感和氛围，使图像更加生动和聚焦。下面介绍增强星空的色彩并对画面进行锐化的方法，具体操作步骤如下。

Step 01 在“曲线”选项区中设置各参数，增强星空的色彩，如图 8-40 所示。

图 8-40 增强星空的色彩

Step 02 在“细节”选项区中设置各参数，进行锐化处理并减少杂色，如图 8-41 所示。

图 8-41 进行锐化处理并减少杂色

Step 03 在“效果”选项区中，设置“清晰度”与“去除薄雾”参数，使星空银河更加清晰，如图 8-42 所示。

图 8-42　使星空银河更加清晰

8.3.3　校准照片的色彩色调

在处理星空照片时，可以针对照片中的红原色、绿原色以及蓝原色进行单独调整，校正照片的色彩色调。其具体操作步骤如下。

校准照片的色彩色调

Step 01 ❶展开“校准”选项区；❷在“绿原色”选项区中设置“饱和度”为-30，降低画面中的绿色饱和度，如图 8-43 所示。

Step 02 在“蓝原色”选项区中设置“饱和度”为-18，对画面中的蓝色进行校准，如图 8-44 所示。

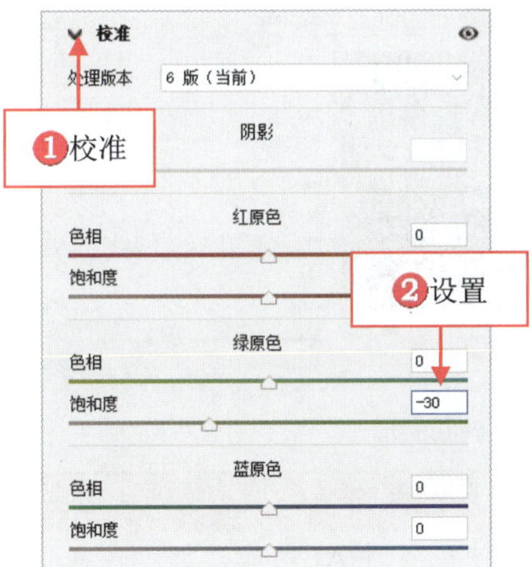

图 8-43　降低画面中的绿色饱和度

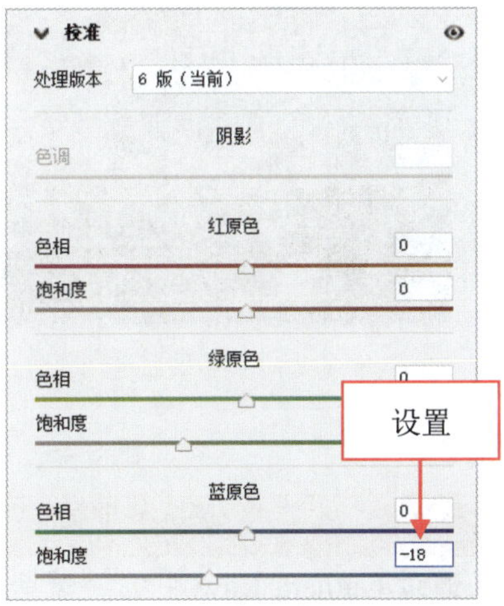

图 8-44　降低画面中的蓝色饱和度

8.3.4　用镜像滤镜加强光影

在 Camera Raw 中，通过“径向渐变”滤镜可以加强画面中银河的光影和色彩，将四周调暗，具体操作步骤如下。

用镜像滤镜加强光影

Step 01 ❶单击右侧面板的“蒙版”按钮，打开相应面板；❷选择“径向渐变”选项，如图 8-45 所示。

图 8-45　选择“径向渐变”选项

Step 02　在左侧的图像上，按住鼠标左键并拖曳，绘制一个椭圆图形，如图 8-46 所示。

图 8-46　绘制一个椭圆图形

> **▶ 专家指点**
>
> 用户可以通过 Camera Raw 中的“蒙版”面板使用各种 AI 功能，如“选择主体”和“选择天空”等，这些功能可以帮助用户自动选择照片中的主体对象或天空区域，以便用户可以快速调整该部分。

Step 03　❶单击“径向渐变 1”右侧的•••按钮；❷在弹出的列表框中选择“反相”选项，如图 8-47 所示。

Step 04　执行操作后，即可反相径向滤镜的效果，所设置的参数只对照片四周的区域产生影响，在“亮”选项区中，设置“曝光”为-0.55，降低照片四周的亮度，将观众的视线聚焦到中间的银河上，如图 8-48 所示。

Step 05　执行操作后，单击“确定”按钮，即可完成星空摄影照片的处理。

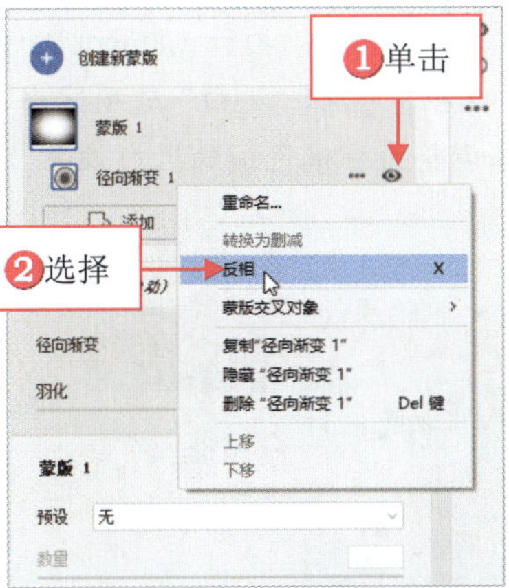

图 8-47　选择"反相"选项

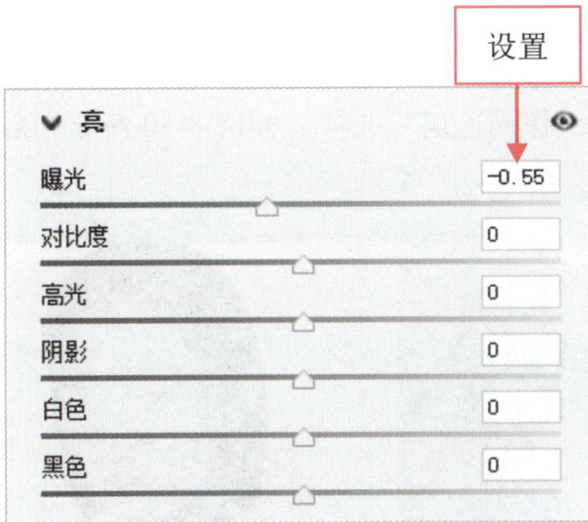

图 8-48　降低照片四周的亮度

本章小结

本章首先介绍了处理翠绿草原照片的方法，包括调整图像色彩和进行照片调色等操作；接着介绍了处理人像美颜照片的方法，包括去除人物红眼、更改照片色彩风格以及处理人物的皮肤、嘴唇、头发以及衣服等操作；最后介绍了处理星空摄影照片的方法，包括调整照片的整体色彩、增强色彩并进行锐化、校准照片的色彩色调以及用镜像滤镜加强光影等操作。通过本章的学习，读者能够运用 Camera Raw 工具进行专业修图的操作方法。

课后实训

课后实训

鉴于本章知识的重要性，为了帮助读者更好地掌握所学知识，本节将通过上机习题帮助读者进行简单的知识回顾和补充。

【效果对比】使用 Camera Raw 滤镜调出黑白风格的照片。素材和效果对比如图 8-49 所示。

（a）　　　　（b）

图 8-49　素材和效果对比

Step 01 打开一幅素材图像，单击“滤镜”|“Camera Raw 滤镜”命令，打开 Camera Raw 窗口，❶在右侧面板中单击“预设”按钮，打开“预设”面板；❷在“黑白”选项区中，选择“黑白 棕褐色调”选项，如图 8-50 所示，即可将图像调整为棕褐色调的黑白效果。

图 8-50 选择“黑白 棕褐色调”选项

Step 02 选择“黑白 高对比度”选项，如图 8-51 所示，即可将图像调整为高对比度的黑白效果，使照片更富有感染力，单击“确定”按钮即可。

图 8-51 选择“黑白 高对比度”选项

第 9 章
人像照片处理综合实例

9

在探讨人工智能技术的应用领域时，发现 Photoshop AI 人像照片处理已成为一项备受关注的技术。接下来，将通过实例为读者展示如何运用 Photoshop AI 技术，将人像照片处理得更加完美。这些实例涵盖了从基础调整到高级美化的全过程，帮助读者轻松掌握 AI 人像照片处理的操作。

本章重点

- 掌握“花季女孩”处理实例
- 掌握“精致妆容”处理实例
- 掌握“面容修饰”处理实例

9.1 “花季女孩”处理实例

【效果展示】在人像照片中，往往有各种各样不尽如人意的瑕疵需要处理，Photoshop 在对人物图像处理上有着强大的修复功能，利用这些功能可以将这些缺陷消除。同时，还可以对照片中的人物进行美容与修饰，使人物以一个近乎完美的姿态展现出来。本实例的最终效果如图 9-1 所示。

图 9-1 效果展示

9.1.1 调整照片的色彩风格

调整照片的色彩风格

如果对人像照片的色彩风格不满意，此时可以使用“调整”面板中的多种预设模式，来调整照片的色彩。其具体操作步骤如下。

Step 01 单击“文件”|“打开”命令，打开一幅素材图像，如图 9-2 所示。

Step 02 在“图层”面板中，按【Ctrl + J】组合键，复制一个图层，得到“图层 1”图层，如图 9-3 所示。

图 9-2 打开一幅素材图像

图 9-3 得到“图层 1”图层

Step 03 单击“窗口”|“调整”命令，展开“调整”面板，单击“调整预设”选项前面的箭头图标 >，展开“调整预设”选项区，在下方单击“更多”按钮，在“人像”选项区中，选择“明亮”选项，如图 9-4 所示。

Step 04 执行操作后，即可将人像照片调为“明亮”风格的色调，如图 9-5 所示。

图 9-4 选择“阳光”选项

图 9-5 调为“明亮”风格的色调

Step 05 在“电影的”选项区中，选择“忧郁蓝”选项，即可将人像照片调为“忧郁蓝”风格的色调效果，如图 9-6 所示。

Step 06 选择“照片滤镜 1”调整图层，在“属性”面板中设置“密度”为 31%；选择“亮度/对比度 2”调整图层，在“属性”面板中设置“亮度”为-15、“对比度”为 20，调整图像的“忧郁蓝”色调，效果如图 9-7 所示。

图 9-6 调为“忧郁蓝”风格的色调

图 9-7 调整图像的“忧郁蓝”色调

Step 07 按【Ctrl + Shift + Alt + E】组合键，盖印图层，得到“图层 2”图层，单击“滤镜”|“Camera Raw 滤镜”命令，打开 Camera Raw 窗口，❶在右侧展开“亮”和“效果”选项区；❷设置“对比度”为 20、“高光”为-23、“阴影”为-19、“清晰度”为 10、“去除薄雾”为 9，调整人像照片的色调，使人像面容更加清晰，效果如图 9-8 所示。

图 9-8　调整人像照片的色调

9.1.2　进行一键磨皮与换妆

进行一键磨皮与换

对人物照片进行磨皮与换妆处理是一种常见的美容修饰技术，主要是为了改善人物肌肤的外观，使女性的妆容看起来更美。其具体操作步骤如下。

Step 01　盖印一个图层，单击“滤镜”｜Neural Filters 命令，展开 Neural Filters 面板，❶在左侧的“所有筛选器”列表框中，开启“皮肤平滑度”功能；❷在面板的右侧设置“模糊”为 75、“平滑度”为 20，如图 9-9 所示，消除脸部的瑕疵，让皮肤变得更加平滑。

Step 02　❶开启“妆容迁移”功能；❷在右侧的“参考图像”选项区中，在“选择图像”列表框中选择“从计算机中选择图像”选项，如图 9-10 所示。

图 9-9　开启“皮肤平滑度”功能

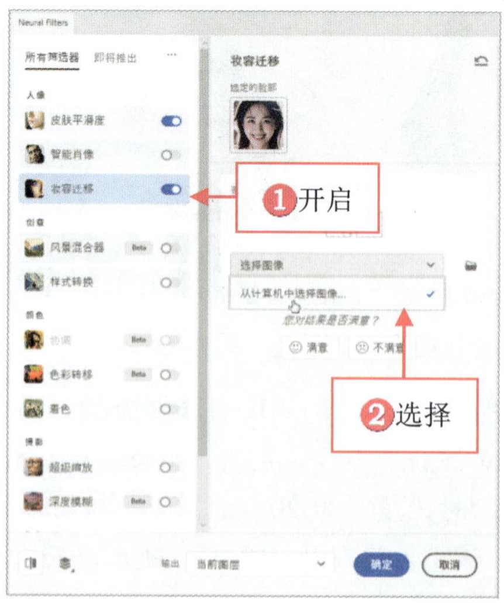

图 9-10　选择“从计算机中选择图像”选项

Step 03　弹出“打开”对话框，选择相应的素材图像，如图 9-11 所示。

Step 04　单击“使用此图像”按钮，即可上传参考图像，并将参考图像中的人物妆容效果应用到原素材图像中，单击“确定”按钮，如图 9-12 所示。

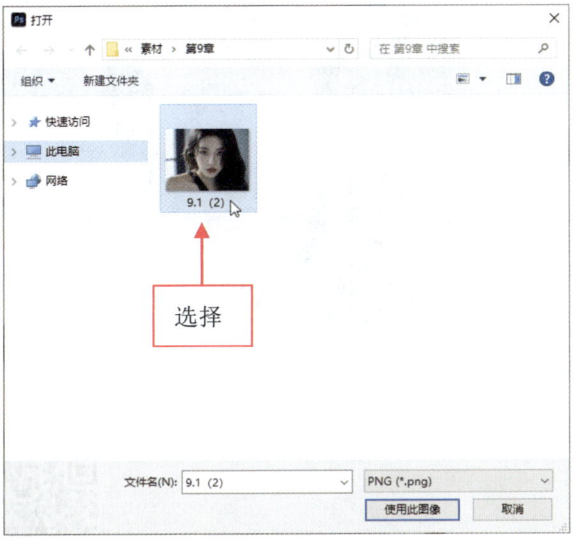

图 9-11　选择相应的素材图像

图 9-12　单击“确定”按钮

Step 05　执行操作后，即可改变人物的妆容，效果如图 9-13 所示。

Step 06　为“图层 3”图层添加一个白色蒙版，选取画笔工具，设置前景色为黑色，在人物的眼睛和嘴唇区域进行相应涂抹，擦除多余的妆容，如图 9-14 所示。至此，完成本实例的操作。

图 9-13　改变人物的妆容

图 9-14　擦除不需要的妆容

9.2　“精致妆容”处理实例

【效果对比】本实例主要介绍人像妆容处理的方法，主要包括对人物进行一键磨皮处理、对人物进行一键换妆处理、用 ACR 滤镜让皮肤更细腻以及调整人物的整体色彩风格等内容，原图与效果对比如图 9-15 所示。

（a）　　　　（b）

图 9-15　原图与效果对比

9.2.1　对人物进行一键磨皮处理

对人物进行一键磨皮处理

对人物照片进行磨皮处理是一种常见的美容修饰技术，主要是为了改善人物肌肤的外观，使其看起来更加光滑、细腻和完美。借助 Neural Filters 滤镜的“皮肤平滑度”功能，可以自动识别人物面部，并进行磨皮处理。其具体操作方法如下。

Step 01　单击“文件”|“打开”命令，打开一幅素材图像，如图 9-16 所示。

Step 02　单击“滤镜”|Neural Filters 命令，展开 Neural Filters 面板，在左侧的“所有筛选器”列表框中开启“皮肤平滑度”功能，如图 9-17 所示。

图 9-16　打开一幅素材图像

图 9-17　开启“皮肤平滑度”功能

Step 03　在 Neural Filters 面板的右侧设置“模糊”为 100、“平滑度”为 50，如图 9-18 所示，消除脸部的瑕疵，让皮肤变得更加平滑。

Step 04　单击“确定”按钮，即可完成人脸的磨皮处理，如图 9-19 所示。

图 9-18　设置相应参数

图 9-19　完成人脸的磨皮处理

9.2.2　对人物进行一键换妆处理

对人物进行一键换妆处理

妆容迁移是指将一个人的妆容样式应用到另一个人脸部的一种技术，Photoshop 采用了人工智能技术，尤其是深度学习方法，实现对妆容的自动迁移。下面介绍在 Neural Filters 面板中使用“妆容迁移”功能一键换妆的操作方法。

Step 01 单击“滤镜”｜Neural Filters 命令，展开 Neural Filters 面板，在左侧的“所有筛选器”列表框中，开启“妆容迁移”功能，如图 9-20 所示。

Step 02 在右侧的“参考图像”选项区中，在“选择图像”列表框中选择“从计算机中选择图像”选项，如图 9-21 所示。

图 9-20　开启“妆容迁移”功能

图 9-21　选择“从计算机中选择图像”选项

Step 03 弹出“打开”对话框，选择相应的素材图像，如图 9-22 所示。

Step 04 单击“使用此图像”按钮，即可上传参考图像，如图 9-23 所示，并将参考图像中的人物妆容效果应用到原素材图像中。

图 9-22　选择相应的素材图像

图 9-23　上传参考图像

Step 05 单击“确定”按钮，即可改变人物的妆容，效果如图 9-24 所示。

图 9-24　改变人物的妆容

> **▶ 专家指点**
>
> 在 Neural Filters 面板中，开启“妆容迁移”功能后，在右侧的“参考图像”选项区中，单击“选择其他图像”右侧的按钮，在弹出的对话框中还可以选择其他的参考图像，用户通过更换不同的参考图像，可以找到最适合人物肖像的妆容。

9.2.3　用 ACR 滤镜让皮肤更细腻

经过前面两小节的处理，如果用户觉得人物的面部皮肤还不太细腻，此时可以使用 ACR 对人物的皮肤进行细微调整。其具体操作步骤如下。

用 ACR 滤镜让皮肤更细腻

Step 01 在菜单栏中，单击“滤镜”|“Camera Raw 滤镜”命令，打开 Camera Raw 窗口，在“效果”选项区中，设置“纹理”为-15、“清晰度”为-7，如图 9-25 所示，使人物面部皮肤更加细腻、光滑。

Step 02 设置完成后，单击“确定”按钮，查看图像面部皮肤效果，如图 9-26 所示。

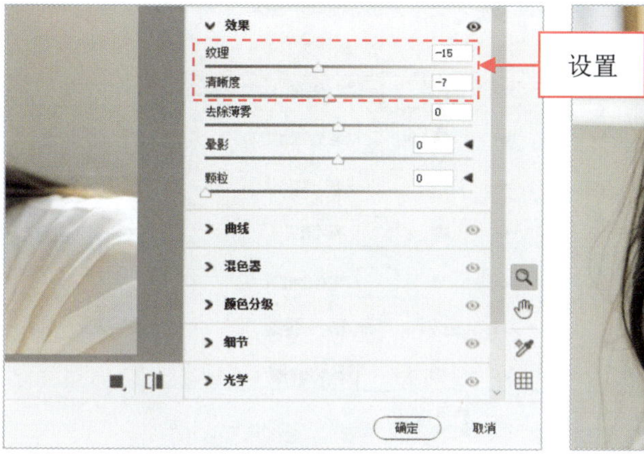

图 9-25　设置各参数

图 9-26　查看图像面部皮肤效果

9.2.4　调整人物的整体色彩风格

如果对人像照片的色彩风格不满意，此时可以使用“调整”面板中的多种预设模式，来调整照片的色彩。其具体操作步骤如下。

调整人物的整体色彩风格

Step 01 在“调整”面板中，❶展开“风景”选项区；❷选择“凸显色彩”选项，如图 9-27 所示，凸显画面中的色彩。

Step 02 ❶展开“电影的”选项区；❷选择“忧郁蓝”选项，如图 9-28 所示，调出忧郁蓝风格。

图 9-27　选择“凸显色彩”选项

图 9-28　选择“忧郁蓝”选项

Step 03 ❶展开“人像”选项区；❷选择“明亮”选项，如图 9-29 所示，提高画面明亮度。

Step 04 在“图层”面板中，可以查看新增的调整图层组，如图 9-30 所示。

图 9-29　选择“明亮”选项

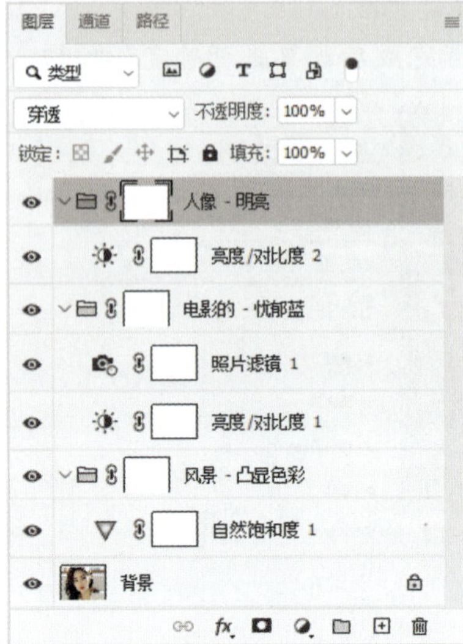

图 9-30　查看新增的调整图层组

Step 05 在图像编辑窗口中预览调整色彩后的人物照片效果，效果如图 9-31 所示。

图 9-31　最终效果

9.3　“面容修饰”处理实例

【效果对比】在室内拍摄人像照片时，由于光线、环境和摄影设备等因素可能导致人物照片中的肤色呈现出不均匀的情况，妆容的色彩也显得非常暗淡。因此，本章通过“面容修饰”这一案例，向读者详细讲解人像照片的后期修图流程与技巧，通过润色技术去除这些皮肤瑕疵，使皮肤看起来更加光滑、无瑕，妆容也更加迷人，原图与效果对比如图 9-32 所示。

（a）　　（b）

图 9-32　原图与效果对比

9.3.1　调出洁白无暇的皮肤

调出洁白无暇的皮肤

由于光线问题，如果拍摄出来的人像照片皮肤过黑，此时可以单独调整人物脸部与身体的皮肤，将皮肤调白调亮，使人物更加好看。下面介绍具体操作方法。

Step 01　单击“文件”|“打开”命令，打开一幅素材图像，如图 9-33 所示。

Step 02　在“图层”面板中，按【Ctrl + J】组合键，复制并得到“图层 1”图层，如图 9-34 所示。

图 9-33　打开一幅素材图像

图 9-34　得到“图层 1”图层

Step 03　单击“滤镜”|“Camera Raw 滤镜”命令，打开 Camera Raw 窗口，在右侧面板中单击“蒙版”按钮，如图 9-35 所示。

Step 04　打开相应面板，在“人物”下方单击“人物 1”缩略图，如图 9-36 所示。

Step 05　进入“人物蒙版选项”面板，❶在下方选中“面部皮肤”和“身体皮肤”两个复选框；❷单击“创建”按钮，如图 9-37 所示。

图 9-35　单击“蒙版”按钮

图 9-36　单击“人物 1”缩略图

图 9-37　单击“创建”按钮

Step 06　进入相应面板，❶取消选中“显示叠加”复选框；❷在“亮”选项区中，设置“曝光”为 0.65、“对比度”为 10、“高光”为-21、“阴影”为 2、“白色”为-13、“黑色”为 3，如图 9-38 所示，提亮皮肤的光泽，增强画面对比度，使人物轮廓更具立体感。

图 9-38　设置各参数

9.3.2　修出浓密优雅的眉毛

修出浓密优雅的眉毛

人物的眉毛在面部表情和整体形象中起到重要作用，对于塑造外貌和表达情感都有影响，眉毛的微妙变化能够使人物的表情更加丰富和生动。如果我们对人物的眉毛不太满意，此时可以通过以下方法进行调整。其具体操作步骤如下。

Step 01　❶在右侧面板中单击“创建新蒙版”按钮；❷在弹出的列表框中选择“选择人物”选项，如图 9-39 所示。

Step 02　进入“人物蒙版选项”面板，❶在下方选中“眉毛”复选框；❷单击“创建”按钮，如图 9-40 所示。

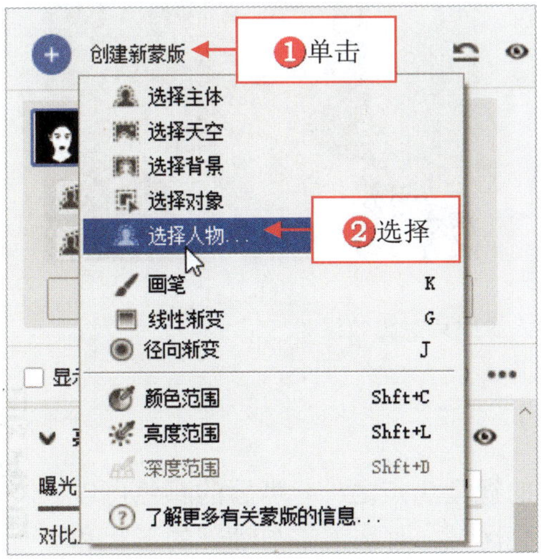

图 9-39　选择“选择人物”选项

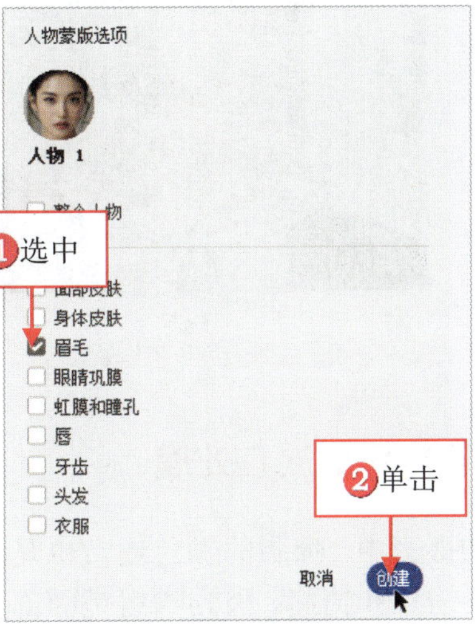

图 9-40　单击“创建”按钮

Step 03 进入相应面板，❶取消选中“显示叠加”复选框；❷在下方设置“曝光”为-0.35，压暗眉毛的亮度，使眉毛显得更加浓厚、深邃，如图 9-41 所示。

Step 04 在面板中设置“色温”为-6，将眉毛的颜色往棕色方面调整，加强眉毛的色彩，如图 9-42 所示，完成人物眉毛的调整。

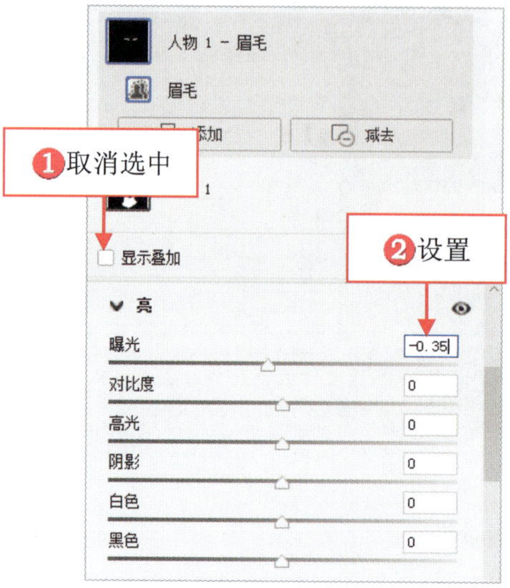

图 9-41　压暗眉毛的亮度

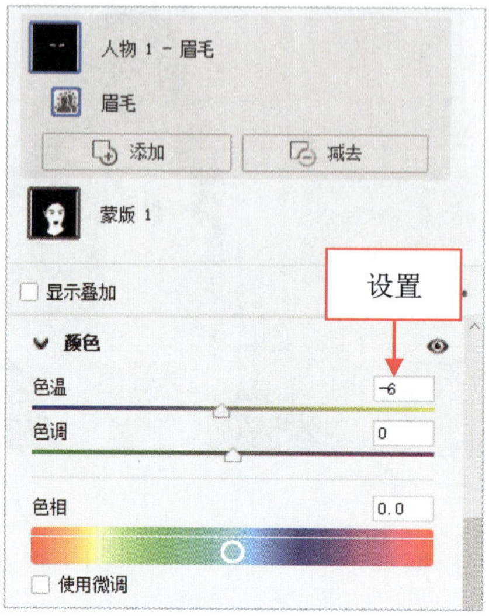

图 9-42　将眉毛的颜色往棕色方面调整

Step 05 操作完成后，单击“确定”按钮，返回 Photoshop 工作界面，查看处理完成的人像照片对比效果，如图 9-43 所示。

（a）

（b）

图 9-43　查看人像照片对比效果

9.3.3　鲜艳丰满的唇色处理

鲜艳丰满的唇色处理

在人物摄影中，嘴唇的颜色通常也是观众的视觉焦点之一，嘴唇的颜色可以传达丰富的情感和情绪，因为嘴唇是面部的明亮区域，而且常常与嘴部的形状和表情相关，所以吸引了人们的目光，嘴唇可以影响人物形象的表达。如果我们对人物的嘴唇颜色不太满意，此时可以通过以下方法进行调整。其具体操作步骤如下。

Step 01　❶选取套索工具；❷单击工具属性栏上的“添加到选区”按钮，如图 9-44 所示。

Step 02　将鼠标指针移至人物嘴唇处，沿着人物嘴唇绘制合适的闭合选区，如图 9-45 所示。

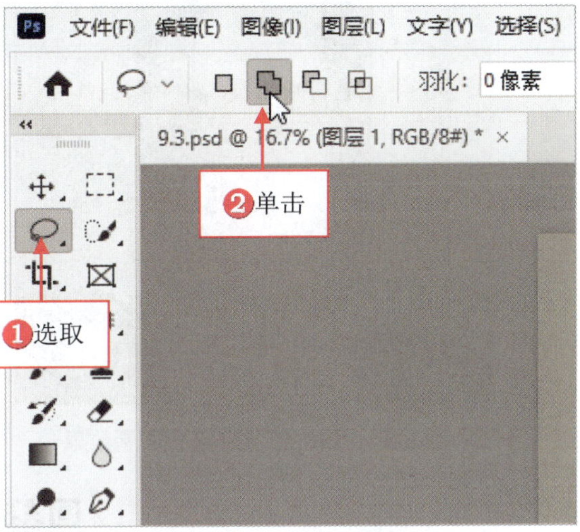

图 9-44　单击“添加到选区”按钮

图 9-45　绘制合适的闭合选区

Step 03　按【Shift + F6】组合键，弹出“羽化选区”对话框，设置“羽化半径”为 3 像素，如图 9-46 所示。

Step 04　单击“确定”按钮，即可羽化选区，❶单击“图层”面板下方的“创建新的填充或调整图层”按钮；❷在弹出的列表框中选择“色相/饱和度”选项，如图 9-47 所示。

图 9-46　设置“羽化半径”参数

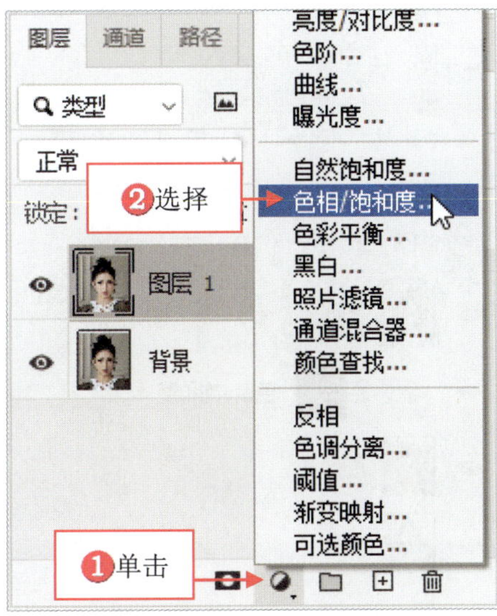

图 9-47　选择“色相/饱和度”选项

Step 05　展开“属性”面板，设置“色相”为−5、“饱和度”为 35，如图 9-48 所示。

Step 06　执行操作后，即可调出鲜艳丰满的嘴唇效果，如图 9-49 所示。

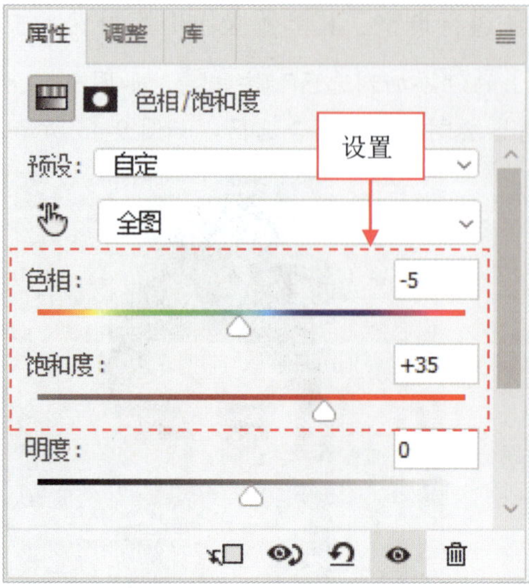

图 9-48　设置各参数

图 9-49　调出性感丰满的嘴唇效果

9.3.4　快速更换人物的发型

快速更换人物的发型

如果用户觉得照片中的人物发型不好看，此时使用“创成式填充”功能可以给人物快速更换一个漂亮的发型或添加头部装饰。其具体操作步骤如下。

Step 01　在“图层”面板中，按【Ctrl + Shift + Alt + E】组合键，盖印图层，得到“图层 2”图层，如图 9-50 所示。

Step 02　使用套索工具在人物头发区域创建一个不规则选区，如图 9-51 所示。

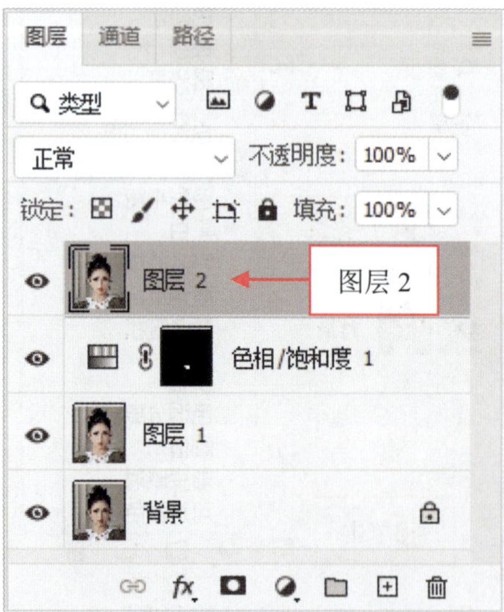

图 9-50　得到“图层 2”图层

图 9-51　创建一个不规则选区

Step 03　在浮动工具栏中单击“创成式填充”按钮，❶输入提示词“好看的发型”；❷单击“生成”按钮，如图 9-52 所示。

Step 04 执行操作后，即可更换人物的发型，在生成式图层的“属性”面板中，在“变化”选项区中选择相应的图像，预览更换女孩发型后的效果，如图 9-53 所示。

图 9-52　单击“生成”按钮

图 9-53　预览发型效果

9.3.5　修饰人物耳朵的形态

修饰人物耳朵的形态

通过上一步的效果我们可以看出，在更换人物发型的时候，人物耳朵的形态有一点乱，此时可以重新生成人物的耳朵，使画面更美观。其具体操作步骤如下。

Step 01 在“图层”面板中，选择所有图层，单击鼠标右键，在弹出的快捷菜单中选择“合并可见图层”选项，如图 9-54 所示。

Step 02 执行操作后，即可合并所有图层对象，如图 9-55 所示。

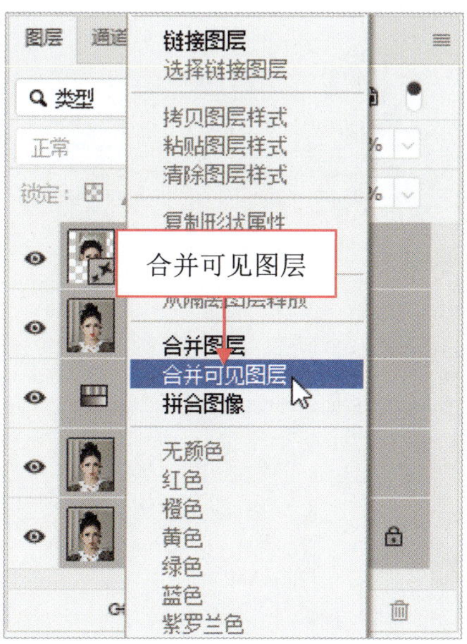

图 9-54　选择“合并可见图层”选项

图 9-55　合并所有图层对象

Step 03 使用套索工具在人物耳朵区域创建两个不规则选区，如图 9-56 所示。

Step 04 在浮动工具栏中单击“创成式填充”按钮，然后单击“生成”按钮，即可重新生成人物的耳朵，使其更加自然，效果如图 9-57 所示。

图 9-56 创建一个不规则选区

图 9-57 重新生成人物的耳朵

本章小结

本章主要介绍了“花季女孩”处理实例、“精致妆容”处理实例、“面容修饰”处理实例。通过本章的学习，读者能够熟练运用 Photoshop AI 技术，轻松掌握 AI 人像照片处理的操作。

第 10 章

风光照片处理综合实例

Photoshop AI 让摄影师和设计师能够轻松实现创意构想。本章将通过一系列精选实例，展示如何运用 Photoshop 人工智能技术，将普通的风光照片转化为令人惊叹的艺术作品。让我们一起领略科技与艺术相结合的力量，开启风光摄影的新篇章。

本章重点

- 掌握“季节更替”处理实例
- 掌握“绚丽花海”处理实例
- 掌握“草原风光”处理实例
- 掌握“沙漠风光”处理实例

10.1　“季节更替”处理实例

【效果对比】本实例主要介绍处理创意风光图像的方法，主要包括将画面秋景处理成春景、完美复合两个图像的颜色、对图像进行无损超级缩放以及将效果导出为 JPG 图像等内容。原图与效果对比如图 10-1 所示。

（a）　　（b）

图 10-1　原图与效果对比

10.1.1　将画面秋景处理成春景

使用 Neural Filters 滤镜中的“风景混合器”功能，可以通过与另一个图像混合或改变诸如时间和季节等属性，神奇地改变景观。下面介绍具体操作方法。

将画面秋景处理成春景

Step 01　单击“文件”|“打开”命令，打开一幅素材图像，如图 10-2 所示。

Step 02　单击“滤镜”| Neural Filters 命令，展开 Neural Filters 面板，在左侧的“所有筛选器”列表框中开启“风景混合器”功能，如图 10-3 所示。

图 10-2　打开一幅素材图像

图 10-3　开启“风景混合器”功能

Step 03　在“预设”选项卡中，选择第 2 排第 3 个风景图像，如图 10-4 所示。

Step 04 执行操作后，即可将原图与预设的图像进行混合，将秋景改变为春景，单击“确定”按钮，返回 Photoshop AI 工作界面，按【Ctrl + D】组合键取消选区，预览图像效果，如图 10-5 所示。

图 10-4 选择相应的预设图像

图 10-5 将秋景改变为春景

10.1.2 完美复合两个图像的颜色

使用 Neural Filters 滤镜中的“协调”功能，可以协调两个图层的颜色与亮度，以形成完美的复合。其具体操作步骤如下。

完美复合两个图像的颜色

Step 01 在“图层”面板中，单击“图层 1”图层缩览图前面的“切换图层可见性”图标，待图标中显示样式后，即可显示“图层 1”图层，如图 10-6 所示。

Step 02 显示“图层 1”图层后，在图像编辑窗口中可以预览图像效果，如图 10-7 所示。

图 10-6 显示“图层 2”图层

图 10-7 预览图像效果

Step 03 单击“滤镜” | Neural Filters 命令，展开 Neural Filters 面板，在左侧的“所有筛选器”列表框中开启“协调”功能，如图 10-8 所示。

Step 04 ❶单击“选择图层”右侧的下拉按钮；❷在弹出的列表框中选择“背景”选项，如图 10-9 所示。

图 10-8　开启“协调”功能

图 10-9　选择“背景”选项

Step 05 以“背景”图层为参考图像，在下方拖曳相关滑块至相应位置，协调两个图层的颜色与亮度，如图 10-10 所示。

Step 06 设置完成后，单击“确定”按钮，返回 Photoshop AI 工作界面，按【Ctrl + D】组合键取消选区，预览图像效果，如图 10-11 所示。

图 10-10　拖曳相关滑块至相应位置

图 10-11　预览图像效果

10.1.3　对图像进行无损超级缩放

借助 Neural Filters 滤镜的“超级缩放”功能，显著提高分辨率，同时保持图像细节和清晰度，使得放大后的图像看起来更加真实和细腻。其具体操作方法如下。

对图像进行无损超级缩放

Step 01 按【Ctrl + Shift + Alt + E】组合键，盖印图层，得到“图层 2”图层，单击

“滤镜”｜Neural Filters 命令，展开 Neural Filters 面板，在左侧的“所有筛选器”列表框中开启“超级缩放”功能，如图 10-12 所示。

Step 02 在右侧的预览图下方单击放大按钮🔍，即可将图像放大至原图的两倍，如图 10-13 所示。

图 10-12　开启“超级缩放”功能

图 10-13　将图像放大至原图的两倍

Step 03 在右侧的“超级缩放”面板中，设置“降噪”为 8、“锐化”为 10，对放大的图像细节进行适当修复处理，如图 10-14 所示。

Step 04 单击“确定”按钮，Photoshop AI 会生成一个新的大图，效果如图 10-15 所示，从左下角的状态栏中可以看到图像的尺寸和分辨率都变大了。

图 10-14　进行适当修复处理

图 10-15　生成一个新的大图

> **▶ 专家指点**
>
> 在右侧的“超级缩放”面板中，在最下方若设置“输出”为“新图层”，则 Photoshop AI 只会放大并裁剪当前图像，而不会显示图像的全景。

10.1.4　将效果导出为 JPG 图像

将效果导出为 JPG 图像

在 Photoshop AI 中处理好图像后，接下来可以将效果文件导出为 JPEG 格式的图像，方便用户上传至其他媒体平台中，与网友分享自己的摄影作品。其具体操作步骤如下。

Step 01　在菜单栏中，单击“文件”|“导出”|“导出为”命令，如图 10-16 所示。

Step 02　弹出“导出为”对话框，在右侧的“文件设置”选项区中，❶单击“格式”右侧的下拉按钮；❷在弹出的列表框中选择 JPG 选项，如图 10-17 所示。

图 10-16　单击“导出为”命令

图 10-17　在列表框中选择 JPG 选项

Step 03　在下方的“色彩空间”选项区中，选中“转换为 sRGB”复选框，如图 10-18 所示，sRGB 是一种专业的色彩模式，也是一种通用的色彩标准，可以使导出的图像色彩显示更加准确，不会产生太大的色彩变化。

Step 04　单击“导出”按钮，弹出“另存为”对话框，设置文件的导出名称，如图 10-19 所示，单击“保存”按钮，即可将图像导出为 JPG 格式。

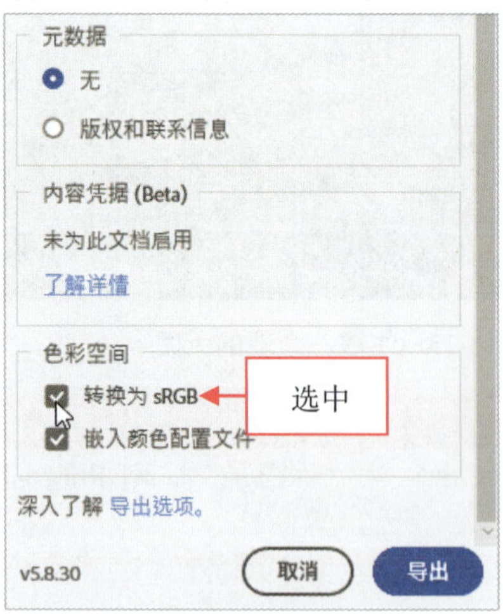

图 10-18　选中相应复选框

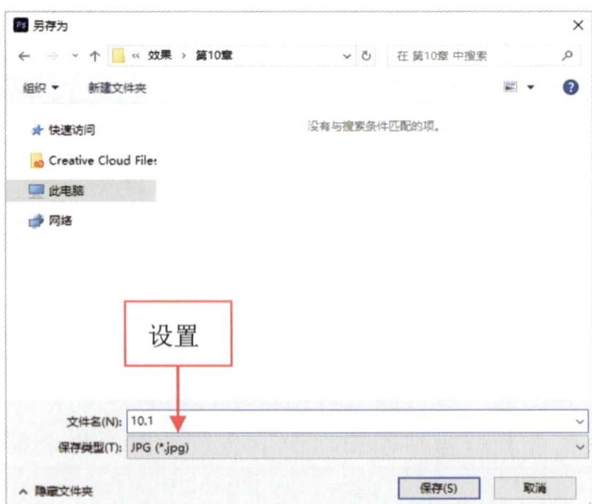

图 10-19　设置文件的导出名称

▶ 专家指点

在 Photoshop AI 中，按【Alt + Shift + Ctrl + W】组合键，也可以快速弹出“导出为”对话框，对图像文件进行导出操作。在右侧的“文件设置”选项区中，提供了 3 种可以导出的文件格式，如 PNG、JPG 以及 GIF 格式，用户可根据需要进行相应选项。

10.2　“春日花韵”处理实例

【效果对比】本实例主要介绍处理植物花卉照片的方法，主要包括对花卉进行抠图处理、对图像进行重新着色处理、使用色彩转移重新调整色相、使用深度模糊处理花卉背景、移除 JPEG 伪影并调整花朵色彩等内容。原图与效果对比如图 10-20 所示。

（a）

（b）

图 10-20　原图与效果对比

10.2.1　对花卉进行抠图处理

本实例我们需要改变绿叶的色彩，但是花朵的色彩不作调整。因此，在处理花卉照片之前，首先需要将白色的花朵抠出来。其具体操作步骤如下。

对花卉进行抠图处理

Step 01　单击“文件”|“打开”命令，打开一幅素材图像，如图 10-21 所示。

Step 02　在工具箱中，选取快速选择工具，如图 10-22 所示。

图 10-21　打开一幅素材图像

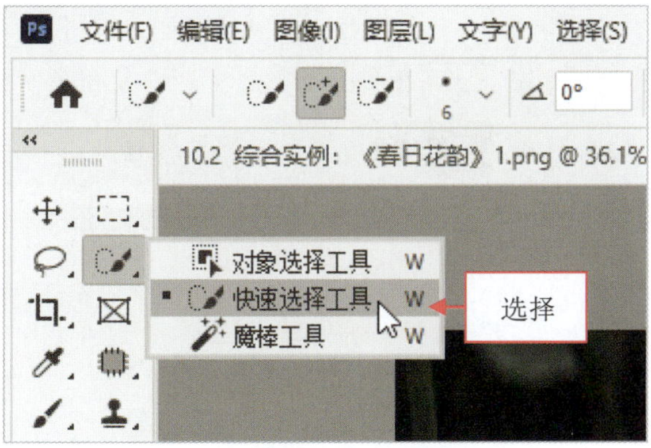

图 10-22　选取快速选择工具

Step 03 将鼠标指针移至图像编辑窗口中的花朵位置，按住鼠标左键并拖曳，即可为花朵图像创建选区，如图 10-23 所示。

Step 04 在“图层”面板中，按【Ctrl + J】组合键，拷贝选区内的图像，得到“图层 1”图层，如图 10-24 所示。

图 10-23　为花朵图像创建选区

图 10-24　得到“图层 1”图层

10.2.2　对图像进行重新着色处理

如果对绿叶的色彩不满意，此时可以借助 Neural Filters 滤镜的“着色”功能，可以自动为绿叶重新上色。注意，目前该功能的上色精度不够高，用户应尽量选择简单的图像进行处理。下面介绍运用“着色”功能给绿叶自动上色的操作方法。

对图像进行重新着色处理

Step 01 在“图层”面板中，选择“背景”图层，如图 10-25 所示。

Step 02 单击“滤镜”｜Neural Filters 命令，展开 Neural Filters 面板，在左侧的“所有筛选器”列表框中开启“着色”功能，如图 10-26 所示。

图 10-25　选择“背景”图层

图 10-26　开启“着色”功能

Step 03 执行操作后，即可自动为绿叶图像上色，效果如图 10-27 所示。

Step 04 在右侧的“调整”选项区中，设置“青色/红色”为 25、“洋红色/绿色”为 12、“黄色/蓝色”为-11，对绿叶的色彩进行微调，如图 10-28 所示。

图 10-27　自动为绿叶图像上色

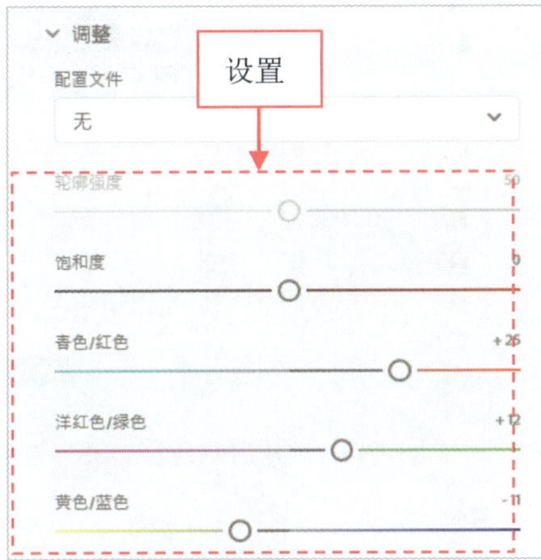

图 10-28　对绿叶的色彩进行微调

Step 05 此时，在左侧图像编辑窗口中可以预览微调后的图像色彩，效果如图 10-29 所示。

图 10-29　预览微调后的图像色彩

10.2.3　使用色彩转移重新调整色相

使用色彩转移重新调整色相

如果用户对重新着色的效果不满意，此时可以借助 Neural Filters 滤镜的“色彩转移”功能，可以创造性地将色调风格从一张图片转移到另一张图片上。其具体操作方法如下。

Step 01 ❶在面板中关闭“着色”功能；❷开启“色彩转移”功能，如图 10-30 所示。

Step 02 ❶在右侧单击“自定义”标签，切换至“自定义”面板；❷在“选择图像”列表框中选择“从计算机中选择图像”选项，如图 10-31 所示。

Step 03 弹出“打开”对话框，选择相应的素材图像，如图 10-32 所示。

Step 04 单击“使用此图像”按钮，即可上传参考图像，如图 10-33 所示，并将参考图像中的色调风格应用到原素材图像中。

图 10-30　开启“色彩转移”功能

图 10-31　选择“从计算机选择图像”选项

图 10-32　选择相应的素材图像

图 10-33　上传参考图像

Step 05 单击“确定”按钮，即可实现图片色彩的转移，将绿叶处理成参考图像的色调，效果如图 10-34 所示。

图 10-34　将绿叶处理成参考图像的色调

10.2.4 使用深度模糊处理花卉背景

如果用户觉得画面的景深效果不太好，此时可以借助 Neural Filters 滤镜的“深度模糊”功能，可以在图像中创建环境深度以模糊前景或背景对象，从而实现画面景深的调整。其具体操作方法如下。

使用深度模糊处理花卉背景

Step 01 单击“滤镜”｜Neural Filters 命令，展开 Neural Filters 面板，在左侧的“所有筛选器”列表框中开启“深度模糊”功能，如图 10-35 所示。

Step 02 在右侧的“焦点”选项区中，❶在花朵上单击鼠标左键，确定焦点位置；❷设置“焦距”为 85、“模糊强度”为 10，如图 10-36 所示，重新调整画面的景深效果。

图 10-35 开启“深度模糊”功能

图 10-36 设置各参数

Step 03 单击“确定”按钮，即可虚化画面背景，效果如图 10-37 所示。

图 10-37 虚化画面背景

10.2.5 移除 JPEG 伪影并调整花朵色彩

运用 Neural Filters 滤镜处理好图像后，需要在图像中移除 JPEG 伪影，提高图像的质量。其具体操作步骤如下。

移除 JPEG 伪影并调整花朵色彩

Step 01 单击“滤镜” | Neural Filters 命令，展开 Neural Filters 面板，在左侧的“所有筛选器”列表框中开启“移除 JPEG 伪影”功能，如图 10-38 所示。

Step 02 在右侧的“强度”列表框中，有“低”“中”“高”3 个选项可供用户选择，这里选择“高”选项，如图 10-39 所示。

图 10-38 开启“移除 JPEG 伪影”功能

图 10-39 选择“高”选项

Step 03 设置完成后，单击“确定”按钮，即可移除 JPEG 伪影，效果如图 10-40 所示。

Step 04 在“图层”面板中，选择“图层 1”图层，单击“滤镜” | Neural Filters 命令，展开 Neural Filters 面板，在左侧的“所有筛选器”列表框中开启“着色”功能，在右侧取消选中“自动调整图像颜色”复选框，设置“饱和度”为 33、“青色/红色”为 20、“洋红色/绿色”为 13、“黄色/蓝色”为 50，将花朵的色彩调整得鲜艳些，单击“确定”按钮，预览图像最终效果，如图 10-41 所示。

图 10-40 移除 JPEG 伪影

图 10-41 最终效果

10.3　“草原风光”处理实例

【效果展示】本实例主要介绍处理草原风光照片的方法，主要包括处理照片中的树木、在草原中绘出一片湖泊、换天并添加一群飞鸟等内容。本实例的最终效果如图 10-42 所示。

图 10-42　最终效果

10.3.1　处理照片上方的树木

当我们拍摄风光照片的时候，如果觉得画面中的一些元素多余，可以在 Photoshop AI 中运用移除工具将其进行移除。其具体操作步骤如下。

处理照片上方的树木

Step 01　单击“文件”|“打开”命令，打开一幅素材图像，如图 10-43 所示。

Step 02　❶在工具箱中选取移除工具；❷在工具属性栏中设置“大小”为 60，调整移除工具的笔触大小，如图 10-44 所示。

图 10-43　打开一幅素材图像

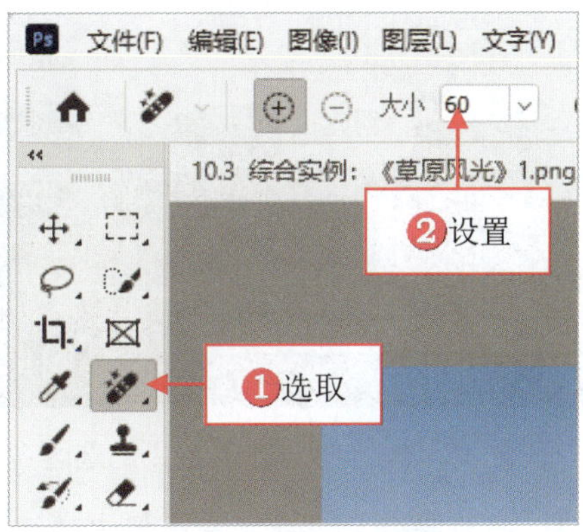

图 10-44　调整笔触大小

Step 03　将鼠标移至图像编辑窗口中的树木中，按住鼠标左键并拖曳，沿着树木的位置进行涂抹，释放鼠标左键，即可去除画面中的树木，如图 10-45 所示。

Step 04　用与上同样的方法，去除另一部分的树木，效果如图 10-46 所示。

图 10-45　去除画面中的树木

图 10-46　去除另一部分的树木

> **▶ 专家指点**
>
> 在 Photoshop 中使用污点修复画笔工具和修补工具，都可以移除画面中多余的元素。使用移除工具涂抹树木的时候，如果操作不太方便，此时可以使用多边形套索工具为树木区域先绘制一个多边形选区，然后再使用较大的笔刷对树木进行涂抹，操作十分方便。

10.3.2　在草原中绘出一片湖泊

在照片中的草原上添加一个湖泊，可以使画面内容更加丰富、漂亮。其具体操作步骤如下。

在草原中绘出一片湖泊

Step 01　运用套索工具创建一个不规则的选区，如图 10-47 所示。

Step 02　在浮动工具栏中单击“创成式填充”按钮，①在工具栏左侧的输入框中输入提示词“暗蓝色的湖泊”；②单击“生成”按钮，如图 10-48 所示。

图 10-47　创建一个不规则的选区

图 10-48　单击“生成”按钮

Step 03　执行操作后，即可在图像中的适当区域绘制一片暗蓝色的湖泊，为风光照片添加了一道美丽的风景线，效果如图 10-49 所示。

Step 04　按【Ctrl + Shift + Alt + E】组合键，盖印图层，得到“图层 1”图层，运用移除工具对湖泊进行适当修饰处理，效果如图 10-50 所示。

图 10-49　绘制一片暗蓝色的湖泊

图 10-50　对湖泊进行适当修饰处理

10.3.3　换天并添加一群飞鸟

飞鸟可以给画面起到装饰的作用，可以为画面带来生机与活力。下面介绍为草原风光照片换天并添加一群飞鸟的方法。其具体操作步骤如下。

换天并添加一群飞鸟

Step 01 单击“编辑”|“天空替换”命令，弹出“天空替换”对话框，①单击“单击以选择替换天空”按钮；②在弹出的列表框中选择相应的天空图像模板，如图 10-51 所示。

Step 02 单击“确定”按钮，即可合成新的天空图像，如图 10-52 所示。

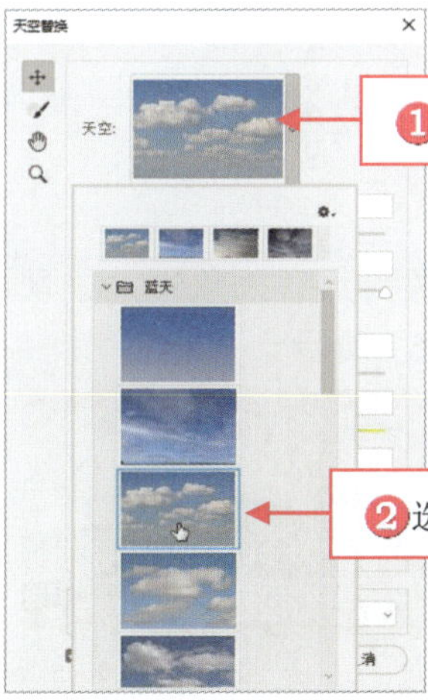

图 10-51　选择天空图像模板

图 10-52　合成新的天空图像

Step 03 按【Ctrl + Shift + Alt + E】组合键，盖印图层，得到“图层 2”图层，选取工具箱中的椭圆选框工具，在工具属性栏中单击“添加到选区”按钮，①在图像中的适当位置绘制多个椭圆选区；②在工具栏中单击“创成式填充”按钮，如图 10-53 所示。

Step 04 ①在左侧输入提示词“飞鸟”；②单击“生成”按钮，如图 10-54 所示。

Step 05 稍等片刻，即可生成相应的图像效果，如图 10-55 所示。

Step 06 单击“下一个变体”按钮，即可更换其他的飞鸟样式，效果如图 10-56 所示。

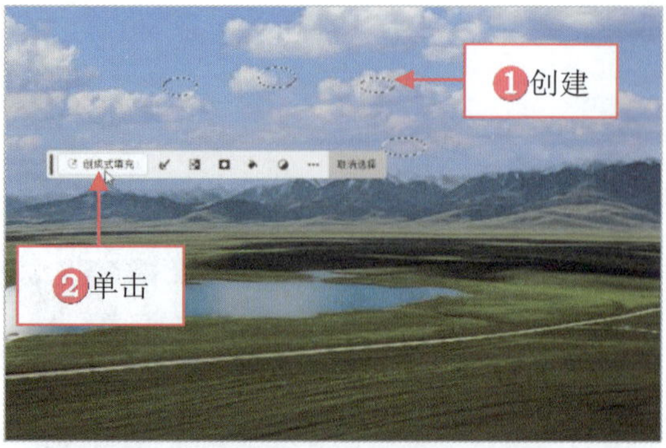

图 10-53　单击“创成式填充”按钮

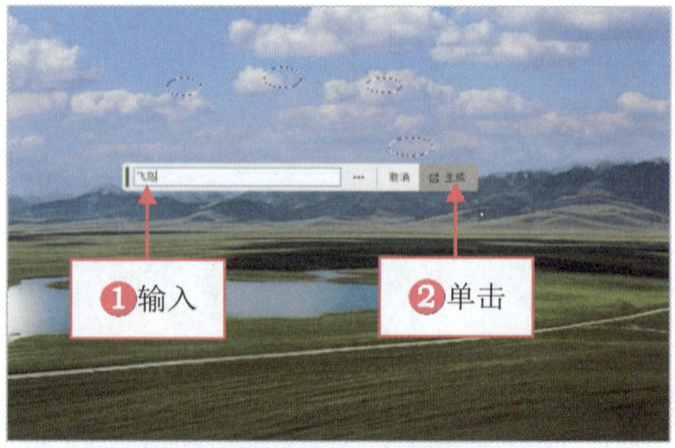

图 10-54　单击“生成”按钮

图 10-55　生成相应的图像效果

图 10-56　更换其他的飞鸟样式

10.4　“沙漠风光”处理实例

【效果对比】沙漠照片中的黑白效果剥离了真实色彩，使图像更具有抽象性，呈现出一种艺术感，加深了观者对照片的审美体验。原图与效果对比如图 10-57 所示。

（a）　　　　（b）

图 10-57　原图与效果对比

10.4.1　对沙漠人物进行抠图处理

本实例需要改变沙漠的色彩，但是人物的色彩不作调整。因此，在处理沙漠照片之前，首先需要将红衣服的人物抠出来。其具体操作步骤如下。

对沙漠人物进行抠图处理

Step 01 单击“文件”|“打开”命令，打开一幅素材图像，如图 10-58 所示。

Step 02 在工具箱中，选取对象选择工具，将鼠标指针移至图像编辑窗口中的人物位置，按住鼠标左键并拖曳，即可为人物图像创建选区，如图 10-59 所示。在“图层”面板中，按【Ctrl + J】组合键，拷贝选区内的图像，得到“图层 1”图层。

图 10-58 打开一幅素材图像

图 10-59 为人物图像创建选区

10.4.2 使用色彩转移调出黑白影调

使用色彩转移调出黑白影调

使用 Neural Filters 滤镜中的“色彩转移”功能，可以将另一张照片中的黑白影调风格转移到当前图像中。其具体操作方法如下。

Step 01 选择“背景”图层，按【Ctrl + Shift + Alt + E】组合键，盖印图层，得到“图层 2”图层，单击“滤镜”|Neural Filters 命令，展开 Neural Filters 面板，在左侧的“所有筛选器”列表框中开启“色彩转移”功能，如图 10-60 所示。

Step 02 ❶在右侧切换至“自定义”选项卡；❷在“选择图像”列表框中选择“从计算机中选择图像”选项，如图 10-61 所示。

图 10-60 开启“色彩转移”功能

图 10-61 选择“从计算机中选择图像”选项

Step03 弹出“打开”对话框，选择相应的素材图像，如图 10-62 所示。

Step04 单击“使用此图像”按钮，即可上传参考图像，并将参考图像中的色调风格应用到原素材图像中，单击“确定”按钮，如图 10-63 所示，即可实现图片色彩的转移，完成示例的最终效果。

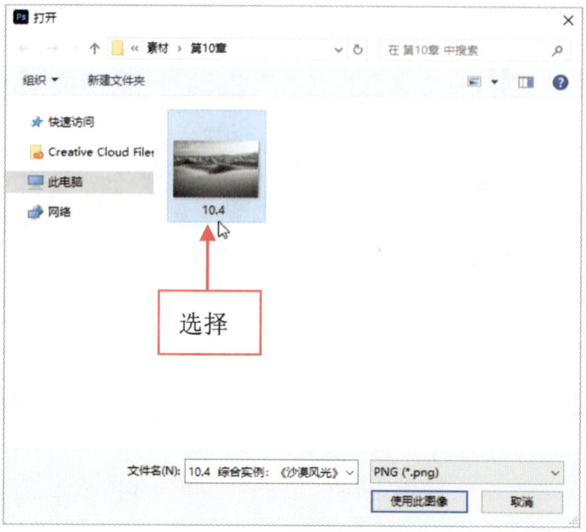

图 10-62　选择相应的素材图像

图 10-63　单击“确定”按钮

本章小结

本章主要介绍了“季节更替”处理实例、“春日花韵”处理实例、“草原风光”处理实例、“沙漠风光”处理实例。通过本章的学习，读者能够熟练运用 Photoshop 人工智能技术，将普通的风光照片转化为令人惊叹的艺术作品。

第 11 章 电商广告处理综合实例

11

在当今这个数字化时代，电商行业竞争日益激烈，如何利用先进的技术手段提升广告效果，吸引更多消费者，成为商家们关注的焦点。本章将通过一系列实例，为大家揭秘如何巧妙地将 Photoshop 与人工智能技术相结合，打造出独具创意、高效转化的电商广告，帮助用户的创作出更优秀的电商广告作品。

本章重点

- 掌握“珠宝广告”处理实例
- 掌握“汽车风光”处理实例
- 掌握“手提袋包装”处理实例
- 掌握“服装模特”处理实例

11.1 “珠宝广告”处理实例

【效果展示】珠宝广告主要通过吸引目标受众的注意力，展示珠宝的美丽、独特设计和高品质工艺，促使消费者购买或关注特定的珠宝品牌或产品线。本实例的最终效果如图 11-1 所示。

图 11-1　效果展示

11.1.1　扩大珠宝广告的背景

扩大珠宝广告的背景

有时候拍摄产品照片时，有些部分没有拍摄完整，此时可以扩展图像画布区域，然后通过“内容识别填充”功能对画布重新绘画，生成相应的图像内容。其具体操作步骤如下。

Step 01　单击“文件”|“打开”命令，打开一幅素材图像，如图 11-2 所示。

Step 02　单击“图像”|“画布大小”命令，弹出“画布大小”对话框，❶选择相应的定位方向；❷设置“宽度”为 2 500 像素、“高度”为 3 000 像素，如图 11-3 所示。

图 11-2　打开一幅素材图像

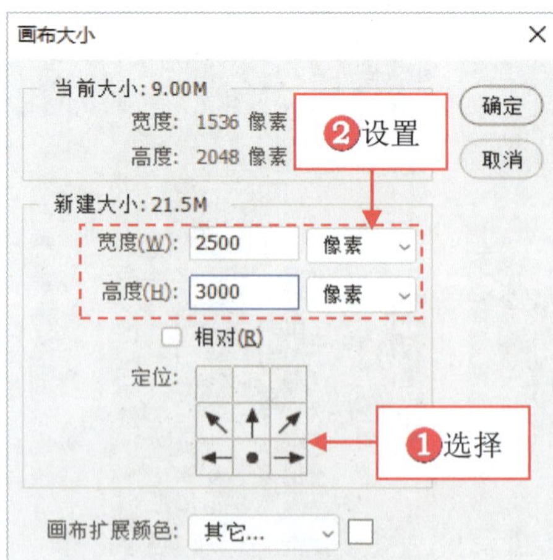

图 11-3　设置各参数

Step 03　单击“确定”按钮，即可扩展图像画布，效果如图 11-4 所示。

Step 04　选取矩形选框工具⬚，在图像四周的空白画布上创建多个矩形选区，如图 11-5 所示。

图 11-4　扩展图像画布

图 11-5　创建多个矩形选区

Step 05　在工具栏中单击“创成式填充”按钮，然后单击“生成”按钮，即可对图像进行内容识别填充，效果如图 11-6 所示。

Step 06　按【Ctrl + Shift + Alt + E】组合键，盖印图层，得到“图层 1”图层，单击“图像”|“调整”|“亮度/对比度”命令，弹出“亮度/对比度”对话框，设置“亮度”为 28、“对比度”为 15，单击“确定”按钮，调整图像的整体亮度与对比度，效果如图 11-7 所示。

图 11-6　进行内容识别填充

图 11-7　调整图像亮度与对比度

11.1.2　制作珠宝广告宣传文本

产品宣传文字要使用引人注目的字体和颜色，能够在广告中吸引用户的眼球，文字内容要能够激发观众的购买欲望。下面介绍制作珠宝广告宣传文本的操作方法。

制作珠宝广告宣传文本

Step 01　选取横排文字工具 T，输入相应文本内容并设置字体格式，效果如图 11-8 所示。

Step 02　再次输入相应英文内容，并设置字体格式，效果如图 11-9 所示。

图 11-8　输入文本内容

图 11-9　输入相应英文内容

Step 03　用与上同样的方法，在广告中的适当位置输入珠宝广告的主题文字，并设置字体格式，效果如图 11-10 所示。

Step 04　单击“图层”|“图层样式”|“描边”命令，弹出“图层样式”对话框，在右侧设置“大小”为 2 像素、“颜色”为黑色，单击“确定”按钮，为文字添加描边样式，使主题更为突出，效果如图 11-11 所示，用同样的方法为其他的文字图层加上描边样式。

图 11-10　输入珠宝广告的主题文字

图 11-11　为文字添加描边样式

11.2　“汽车风光”处理实例

【效果展示】本实例主要介绍处理汽车风光图片的操作方法，包括去除照片中多余的元素、加亮汽车主体局部色彩、替换汽车风光中的天空样式等内容。本实例的最终效果如图 11-12 所示。

图 11-12　效果展示

11.2.1　去除照片中多余的元素

在汽车风光照片中，如果画面中有干扰视线的元素，可以使用 Photoshop 中的移除工具，一键智能去除画面中的多余元素，使汽车风光照片更加吸引眼球。其具体操作步骤如下。

去除照片中多余的元素

Step 01　单击“文件”|“打开”命令，打开一幅素材图像，如图 11-13 所示。

Step 02　❶选取移除工具；❷在工具属性栏中设置“大小”为 45，如图 11-14 所示。

图 11-13　打开一幅素材图像

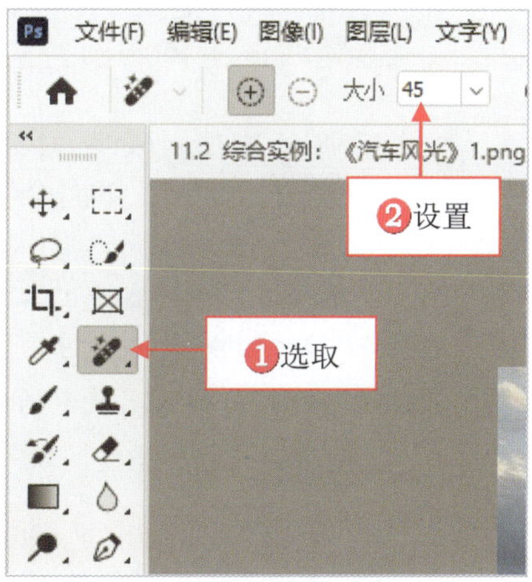

图 11-14　设置“大小”为 45

Step 03　移动鼠标指针至画面中的石头处，按住鼠标左键并拖曳，对图像进行涂抹，鼠标涂抹过的区域呈淡红色显示，如图 11-15 所示。

Step 04　释放鼠标左键，即可去除石头元素，效果如图 11-16 所示。

Step 05　用与上同样的方法，去除画面中的其他多余元素，效果如图 11-17 所示。

图 11-15　对图像进行涂抹

图 11-16　去除石头元素

图 11-17　去除画面中的其他多余元素

11.2.2　加亮汽车主体局部色彩

加亮汽车主体局部色彩

在 Photoshop 中使用减淡工具可以加亮图像的局部色彩，通过提高图像局部区域的亮度来校正曝光。下面介绍运用减淡工具加亮汽车主体局部色彩的操作方法。

Step 01　选取工具箱中的减淡工具，在工具属性栏中设置“大小”为 60 像素、“范围”为“中间调”、“曝光度”为 30%，如图 11-18 所示。

Step 02　将鼠标指针移至图像中的白色汽车部分，按住鼠标左键并拖曳，多次涂抹图像，即可提高汽车局部的色彩亮度，效果如图 11-19 所示。

▶ 专家指点

选取工具箱中的减淡工具后，其工具属性栏中各主要选项含义如下。

- **范围**：用于设置不同色调的图像区域，此列表框中包括“阴影”“中间调”“高光”3 个选项。选择“阴影”选项，则对图像暗部区域的像素进行颜色减淡处理；选择“中间调”选项，则对图像中的中间调（色阶值接近 128 的图像像素）区域进行颜色减淡处理；选择“高光”选项，则对图像中的亮部区域的像素进行颜色减淡处理。
- **曝光度**：该数值设置得越高，减淡工具 的使用效果就越明显。
- **保护色调**：如果希望操作后图像的色调不发生变化，选中该复选框即可。

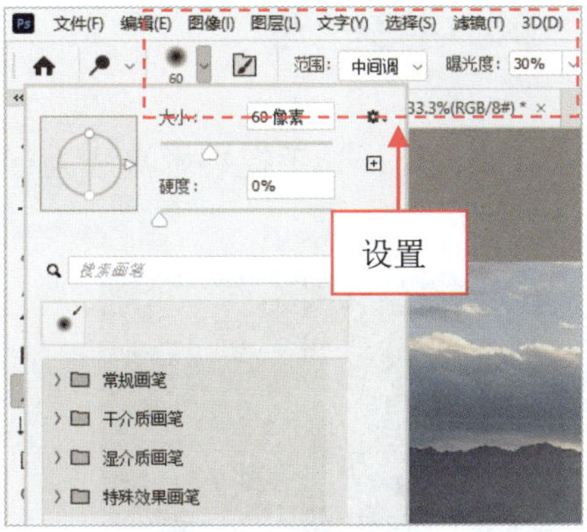

图 11-18　设置各选项

图 11-19　提高汽车局部的色彩亮度

11.2.3　替换汽车风光中的天空样式

替换汽车风光中的天空样式

在汽车风光的后期处理中，选择合适的天空样式，可以更好地突出汽车主体对象，让天空的颜色和光影可以与汽车形成良好的对比。使用 Photoshop 中的“天空替换”命令还可以创造出独特的效果，例如在天空中加入戏剧性的云层或其他视觉元素，以营造出奇幻的感觉。下面介绍替换汽车风光中的天空样式的方法，具体操作步骤如下。

Step 01 在菜单栏中，单击“编辑”|“天空替换”命令，弹出“天空替换”对话框，单击“单击以选择替换天空”按钮⌄，如图 11-20 所示。

Step 02 执行操作后，在弹出的列表框中选择相应的天空图像模板，如图 11-21 所示，单击“确定”，按钮即可合成新的天空图像。

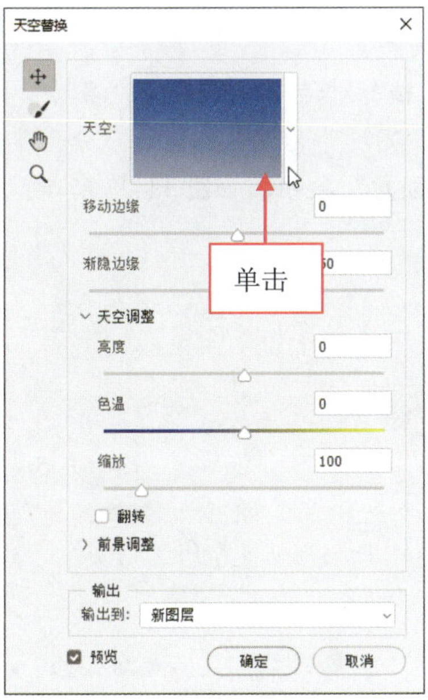

图 11-20　单击相应按钮

图 11-21　选择相应的模板

11.3 “手提袋包装”处理实例

【效果展示】手提袋包装是品牌的传播媒介，通过独特的设计，让手提袋本身成为行走的广告，提升了品牌的知名度。本实例的最终效果如图 11-22 所示。

（a）

（b）

图 11-22 效果展示

11.3.1 制作手提袋背景与文字

通过制作出色彩鲜明的手提袋背景与品牌广告文字，可以将品牌形象传达给消费者。下面介绍制作手提袋背景与文字效果的方法。

制作手提袋背景与文字

Step 01 单击“文件”|“新建”命令，弹出“新建文档”对话框，❶设置“名称”为“手提袋包装”、“宽度”为 593 像素、“高度”为 768 像素、“分辨率”为 150 像素/英寸、“背景内容”为“白色”；❷单击“创建”按钮，如图 11-23 所示。

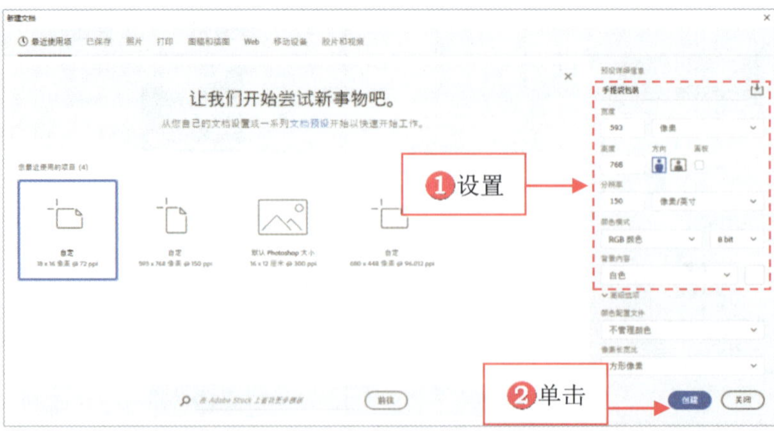

图 11-23 单击“创建”按钮

Step 02 新建一个空白图像，选取工具箱中的渐变工具，在工具属性栏中设置“对当前图层应用渐变”为“经典渐变”，单击右侧的渐变条，弹出“渐变编辑器”对话框，❶设置从青绿色（RGB 参数值为 0、126、128）到深绿色（RGB 参数值为 0、63、64）的渐变色；❷单击“确定”按钮，如图 11-24 所示。

Step 03 新建“图层 1”图层，在工具属性栏中单击“径向渐变”按钮，将鼠标指针移至图像编辑窗口中的合适位置，按住鼠标左键从中间向下方拖曳，至合适位置后释放鼠标左键，即可填充渐变色，效果如图 11-25 所示。

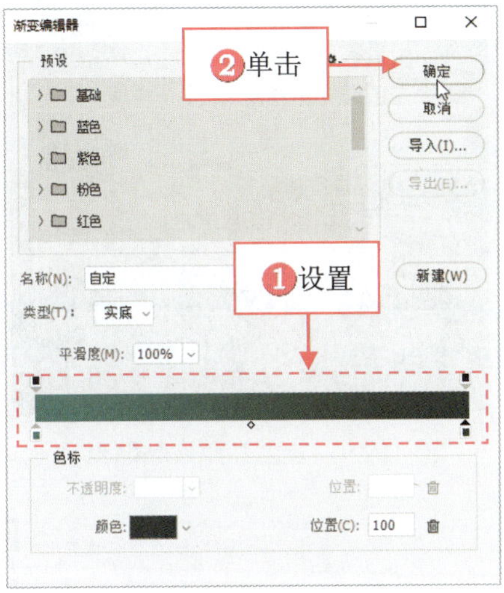

图 11-24　设置从青绿色到深绿色

图 11-25　新建图层并填充渐变色

Step 04 打开本案例第 1 个素材图像，运用移动工具将素材图像拖曳至“手提袋包装”图像编辑窗口中，适当调整图像的大小和位置，效果如图 11-26 所示。

Step 05 单击“图层”|“图层样式”|“描边”命令，弹出“图层样式”对话框，在右侧设置“大小”为 3 像素、“位置”为“外部”、“颜色”为白色，单击“确定”按钮，为图像添加描边效果，如图 11-27 所示。

图 11-26　调整图像的大小和位置

图 11-27　为图像添加描边效果

Step 06 打开本案例的第 2 个素材图像，如图 11-28 所示。

Step 07 在“图层”面板中，选择所有文字图层，复制并粘贴至“手提袋包装”图像编辑窗口中，适当调整其位置，效果如图 11-29 所示。

图 11-28　打开素材图像

图 11-29　复制并原位粘贴素材

11.3.2　AI 生成房产 Logo 与图片

AI 生成房产 Logo 与图片

使用 Photoshop 中的创成式填充功能，可以在手提袋包装上生成房产 Logo 与相应的图片效果，使手提袋包装更具品牌价值。其具体操作步骤如下。

Step 01 选取工具箱中的矩形选框工具，❶在上方适当位置创建一个矩形选区；❷在下方的工具栏中单击“创成式填充”按钮，如图 11-30 所示。

Step 02 ❶在工具栏中输入相应提示词；❷单击“生成”按钮，如图 11-31 所示。

图 11-30　单击“创成式填充”按钮

图 11-31　单击“生成”按钮（1）

Step 03　执行操作后，即可生成相应的图像效果，如图 11-32 所示。

Step 04　❶再次运用矩形选框工具在图像的右下角创建一个矩形选区；单击“创成式填充”按钮，❷输入相应提示词；❸单击“生成”按钮，如图 11-33 所示。

图 11-32　生成相应的图像效果（1）

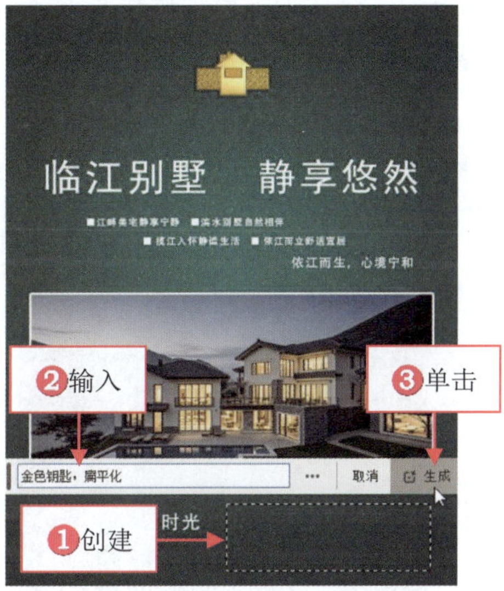

图 11-33　单击“生成”按钮（2）

Step 05　执行操作后，即可生成相应的图像效果，如图 11-34 所示。

Step 06　按【Ctrl + Shift + Alt + E】组合键，盖印图层，得到“图层 3”图层，打开本案例的第 3 个素材图像，在“图层”面板中选择相应文字图层，复制并粘贴至“手提袋包装”图像编辑窗口中，适当调整其位置，效果如图 11-35 所示。

图 11-34　生成相应的图像效果（2）

图 11-35　复制并粘贴文字素材

11.3.3 制作手提袋立体效果

下面首先对所有图层进行盖印操作，然后运用“扭曲”命令、钢笔工具以及“描边”命令等，制作出手提袋包装的立体效果。其具体操作步骤如下。

Step 01 单击“文件”|“打开”命令，然后打开本案例的第 4 个素材图像，如图 11-36 所示。

Step 02 确认“手提袋包装”为当前图像编辑窗口，按【Ctrl + Alt + Shift + E】组合键，盖印图层，得到“图层 4”图层，如图 11-37 所示。

图 11-36 打开一幅素材图像

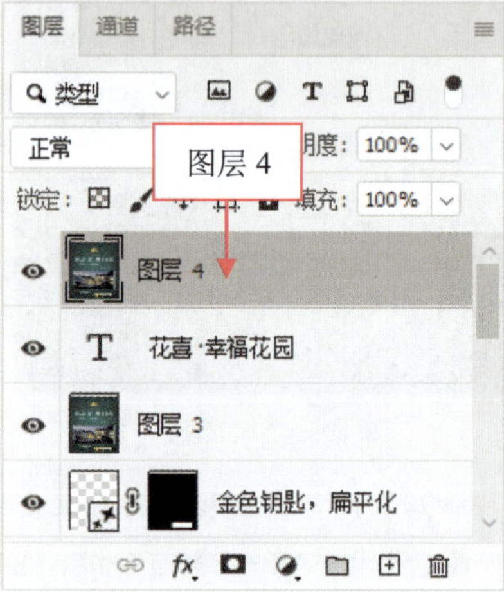

图 11-37 盖印图层

Step 03 运用移动工具将该图像移至第 4 个素材图像的图像编辑窗口中，此时“图层”面板中将自动生成“图层 1”图层，按【Ctrl + T】组合键，调出变换控制框，拖曳图像四周的控制柄，调整图像的大小和位置，按【Enter】键确认变换，效果如图 11-38 所示。

Step 04 单击“编辑”|“变换”|“扭曲”命令，调出变换控制框，依次向下和向上拖曳右上角和右下角的控制柄，扭曲图像，按【Enter】键确认变换操作，效果如图 11-39 所示。

图 11-38 调整图像的大小和位置

图 11-39 扭曲与变换图像

Step 05 打开本案例第 5 个素材图像，运用移动工具将素材图像拖曳至第 4 个素材的图像编辑窗口中，适当调整图像的位置，效果如图 11-40 所示。

Step 06 展开"图层"面板，在"背景"图层上方新建"图层 3"图层，选取工具箱中的钢笔工具，在图像编辑窗口中创建一条曲线路径，按【Ctrl + Enter】组合键，将路径转换为选区，单击"编辑"|"描边"命令，弹出"描边"对话框，设置"宽度"为 3 像素、"颜色"为白色，单击"确定"按钮，即可描边选区，并取消选区，效果如图 11-41 所示。

图 11-40　适当调整图像的位置

图 11-41　创建曲线路径并描边选区

Step 07 将"图层 3"图层进行复制，得到"图层 3 拷贝"图层，移动图像至合适位置，效果如图 11-42 所示。

Step 08 在"图层"面板中，复制"图层 1"图层，得到"图层 1 拷贝"图层，按【Ctrl + T】组合键，调出变换控制框，单击鼠标右键，在弹出的快捷菜单中选择"垂直翻转"选项，垂直翻转图像，再适当调整图像的位置，效果如图 11-43 所示。

图 11-42　移动图像至合适位置

图 11-43　翻转图像并调整位置

Step 09 按【Ctrl + T】组合键，再次调出变换控制框，在控制框内单击鼠标右键，在弹出的快捷菜单中选择“斜切”选项，将鼠标指针移至右侧的控制点上，按住鼠标左键向上拖曳，对图像进行斜切操作，按【Enter】键确认，效果如图 11-44 所示。

Step 10 为“图层 1 拷贝”图层添加图层蒙版，使用渐变工具从下至上填充黑白线性渐变色，制作出倒影效果，如图 11-45 所示。

图 11-44 对图像进行斜切操作

图 11-45 制作出倒影效果（1）

Step 11 复制“图层 2”图层，得到“图层 2 拷贝”图层，用与上同样的操作方法，将其调整至合适位置，并制作出倒影效果，效果如图 11-46 所示。

Step 12 在“图层”面板中，选择除“背景”图层以外的所有图层，按【Ctrl + G】组合键进行编组，得到“组 1”组；复制“组 1”组，得到“组 1 拷贝”组，然后适当调整图像的位置，按【Ctrl + H】组合键，隐藏辅助线，即可完成最终效果，如图 11-47 所示。

图 11-46 制作出倒影效果（2）

图 11-47 隐藏辅助线

11.4　“服装模特”处理实例

【效果对比】：服装模特的作用在于通过其专业的展示技巧和形象魅力，有效地传达设计师的创意理念，提升服装的视觉吸引力，促进消费者对服装的认同和购买欲望，同时为时尚产业的品牌形象塑造和市场推广起到关键性的桥梁作用。本实例的最终效果如图 11-48 所示。

（a）　　（b）

图 11-48　原图与效果对比

11.4.1　给模特一键换装

给模特一键换装

用户如果对于模特照片中的穿搭效果不满意，可以使用“创成式填充”功能更换相应的服装。其具体操作步骤如下。

Step 01 单击“文件”|“打开”命令，打开一张素材图像，选取工具箱中的套索工具，给人物的衣服创建一个选区，如图 11-49 所示。

Step 02 单击“创成式填充”按钮，在输入框中输入提示词“米色毛衣”，如图 11-50 所示。

图 11-49　创建选区

图 11-50　输入相应提示词

Step 03 执行操作后，单击“生成”按钮，如图 11-51 所示。

Step 04 稍等片刻，即可生成相应的服装图像，效果如图 11-52 所示。

图 11-51 单击“生成”按钮

图 11-52 更换服装效果

11.4.2 调整照片的色彩

通过“调整”面板中的预设样式，可以给服装模特的照片进行调色，使照片更有吸引力。其具体操作步骤如下。

调整照片的色彩

Step 01 单击“调整预设”选项旁的下拉按钮，展开“调整预设”选项区，在下方单击“更多”按钮，在“人像”选项区中，选择“明亮”选项，如图 11-53 所示。

Step 02 执行操作后，即可提高画面的亮度，使人物面部更加清晰，如图 11-54 所示。

图 11-53 选择“明亮”选项

图 11-54 提高画面的亮度

Step 03 在“创意”选项区中，选择“凸显色彩”选项，如图 11-55 所示，提高画面的自然饱和度，使人物的面色更加自然。

Step 04 选择“自然饱和度 1”调整图层，在“属性”面板中设置“自然饱和度”为 70；选择“亮度/对比度 1”调整图层，在“属性”面板中设置“亮度”为 20、“对比度”为 13，进一步优化整体的画面色调，效果如图 11-56 所示。

图 11-55　选择“凸显色彩”选项

图 11-56　优化整体的画面色调

Step 05 按【Ctrl + Shift + Alt + E】组合键，盖印图层，得到“图层 1”图层，单击“滤镜”|“Camera Raw 滤镜”命令，打开 Camera Raw 窗口，❶在“亮”选项区中，设置“对比度”为 15、“高光”为-24、“阴影”为 12；❷在“效果”选项区中，设置“清晰度”为 10、“去除薄雾”为 9，调整人像照片的色调，使人像面容更加清晰，效果如图 11-57 所示。

图 11-57　调整人像照片的色调

Step 06 在“曲线”选项区中设置各参数，提高画面的亮度，如图 11-58 所示。

Step 07 在“颜色”选项区中，设置“自然饱和度”为 22、“饱和度”为 25，使照片的色彩更加丰富，如图 11-59 所示，单击“确定”按钮，即可完成服装模特照片的修图操作。

图 11-58　提高画面亮度

图 11-59　使照片色彩更加丰富

本章小结

本章主要介绍了“珠宝广告”处理实例、“汽车风光”处理实例、“手提袋包装”处理实例、“服装模特”处理实例。通过本章的学习，读者能够将 Photoshop 与人工智能技术相结合，打造出独具创意、高效转化的电商广告。